◙ 从来精读出人才

给成长留一份美好的记忆

如果一个孩子在12岁之前没有养成阅读习惯。一生就不会养成良好的阅读习惯。

——中国教育学会副会长、新教育改革发起人 朱永新

励志版名著之所以广受欢迎,一是因为它强调了阅读的本义,代表了素质阅读的高水平;二是因为它的真情实感,显示出一种真诚的力量!

——北大教授、当代文学教研室主任 陈晓明

读书必须读好书,尤其是少年儿童。一篇作品被我们称之为名篇,前提是它已经经受住了漫长时间的考验。它已在时间的风雨中被反复剥蚀过而最终未能泯灭它的亮光。

——北大教授、儿童文学著名作家 曹文轩

在浩如烟海的名著出版物中,童趣的励志版名著异军突起、广受欢迎,证明了在市场化的今天质量仍是第一位的。望励志版名著的出版能改变名著出版滥而无序的局面。

——中国当代文学研究会副会长、著名评论家 孟繁华

阅读是一盏明灯,照亮你人生的路。挺起胸膛,抬起头颅,勇敢地面对生活。热爱文学,热爱阅读,热爱书籍,会给你终身带来无穷的裨益。

——当代著名作家、中国动物小说大王 沈石溪

好阅读,决定一个人的成长。励志版名著,关注学生的素质成长,符合其开启民智、昌明教育的宗旨,使名著回归人生成长导师的本意,是值得肯定的有价值的事情。

——中国出版工作者协会主席、原中国新闻出版总署署长 于友先

阅读让我成为一个心态健康、心灵丰富的人。希望小读者们能用自己的眼睛和自己的心灵去发现一本、十本、上百本、上千本自己真正喜欢的书!

——当代著名儿童文学家 张之路

我们知道，在一个急功近利的时代，在一个浮躁的"浅阅读"环境里，追求精品而要求学生"深阅读"反而是一种奢侈的想法。但是，"领悟性阅读"是人生成长过程中不可或缺的要素。如何用精品名著唤醒天性、唤醒心灵、点燃智慧之灯，又能兼顾学生学习的现实需要呢？

第一个关键词：价值阅读——"成就有价值的人生"

有价值的人生从价值阅读开始。在阅读的重要性与紧迫性已成为共识的情况下，最根本的问题就是读什么和怎么读。为此，励志版名著致力于通过对经典名著的价值解读，培养学生一生受用的品质。

第二个关键词：励志——"本书名言记忆"

一句名言可以影响人的一生。在众多学生用的名著版本中，唯独励志名著是以素质成长为核心理念的。一本好书，必能启迪人性，滋养人的精神。因此，我们专注于传递名著中宝贵的人生经验和成长智慧。

第三个关键词：兴趣——"无障碍阅读"

对于阅读经验较少的学生，励志版名著将难词、引用、人物、好句等进行了无障碍注释，难易程度适中，培养学生阅读兴趣。

第四个关键词：导学——"名师导学3-2-1"

名师门下出高徒。清华附中特级教师杨建宇先生，集四十年教学经验，倾力把关"名师导学3-2-1"，强调在导学的基础上自主学习，把阅读延伸到书外。

第五个关键词：彩图——"图说名著"

全品系200多幅精美插图，配以言简意赅的文字，形成了"图说名著"的生动画面，这对提升学生的阅读兴趣，更好地理解每一本名著的意蕴，无疑会有良好的帮助。

第六个关键词：课标——"全课标素质解读"

强调课标与素质阅读的结合，是本丛书明显的特征。各版本语文教材中所选用的名著篇目，都在其中占有一席之地，从而倡导"每一本名著都是最好的教科书"的理念。

简言之，我们殚精竭虑，注重每一个细节。因为，一个人物，就是一段经历；一段故事，就是一个哲理；一本好书，可以励志一生。

**让名著回归它人生成长导师的根本功能吧！**

励志版名著编委会

# 励志版名著结构体例图

## 开宗明义 整体解读

导读是针对全书的综合性内容简述。内容涉及作者、故事情节、思想等方面。通过这个导读，读者不用读全文，也能知道这本书整体叙述了什么。

## 图文并茂 相得益彰

精美的彩色插图，令经典情节完美呈现。让读者在阅读文字的同时，感受具体化的情景描述，增加了阅读的乐趣。

## 名言启迪 励志人生

本书特别关注名著中所传递的宝贵人生经验和成长智慧，将每本书中适合青少年的名言辑录并加以分类编辑。

## 课本、课标兼顾素质成长

在众多学生使用的名著版本中，唯独励志版名著是以励志为核心理念的，突显素质与成长是其编辑宗旨。

## 无障碍阅读 分析与引导

注音释义，扫除字词障碍；批注点评，打通理解障碍；成长启示，疏通品悟障碍。

## 查缺补漏 总结知识点

针对应试的需要，同时为了便于考查阅读效果，编者联合一线教师将整本书的重要知识点进行整理，以考题的形式进行查缺补漏。

# 名著阅读专项规划方案

　　阅读不仅仅是让学生学会考试，它还将决定学生面向未来的基础能力，只有掌握了阅读的本领，学生才能更好地学习其他知识，才能更自信地融入社会，拓展更广阔的成长空间。

　　要使阅读学而有用，在短时间内让能力与素质得到提升，系统科学地阅读尤为重要。为此我们为学生制订了一份科学合理的名著阅读计划。

| 阅读阶段 | 阅读要点 | 新课标必读推荐 | 推荐理由与检测 | 阅读量与阅读方法 |
|---|---|---|---|---|
| 第一阶段 | 掌握阅读（或流畅阅读）阶段（7~8岁），这个阶段知识、语法和认知能力是有限的，所以必须限制阅读的复杂性。 | 《唐诗三百首》《弟子规》《三字经》《成语故事》《稻草人》《木偶奇遇记》《伊索寓言》…… | 励志版名著，由阅读专家及各省教研员为青少年专项打造，兼顾新课标与素质培养；注重快乐阅读，无障碍阅读。检测：能熟练阅读与讲述1~3本必读名著。 | 读4~8本名著（兼顾中外），以简单与兴趣阅读为主，精读不少于1本，每周不少于6小时，以便从小就养成良好的阅读习惯。 |
| 第二阶段 | 为学习新知而阅读（9~13岁）。前期（低年级）可以阅读无须专业知识就可以理解的书籍；后期（高年级）需要增加阅读的复杂性。 | 《三国演义》《西游记》《水浒传》《城南旧事》《格林童话》《安徒生童话》《鲁滨孙漂流记》《汤姆·索亚历险记》《海底两万里》…… | 励志版名著，由中国的阅读专家和欧洲著名的内容提供商艾阁萌提供；借鉴了国外的兴趣阅读与素质培养的经验；辅以导读与思考题，可同时满足课堂教学的需要。检测：能熟练引用并使用到写作当中。 | 最少不低于8~16本名著阅读。应遵循由浅入深的原则，在关注2~3个品质主题的基础上，逐渐提高鉴赏能力。精读3种名著，每周不低于6小时。 |
| 第三阶段 | 通过阅读多角度了解人生阶段(14~18岁)，从一个初级阅读者逐渐成为一个成熟阅读者的过程。积累知识、发展潜力、理解与反思，达成个人目标的能力。 | 《朝花夕拾·呐喊》《骆驼祥子》《繁星·春水》《格列佛游记》《童年》《简·爱》《钢铁是怎样炼成的》《假如给我三天光明》《老人与海》…… | 励志版名著，从易至难，难易相兼。它可以满足这个年龄段对社会、对人生的好奇与探索的需求。它保留了名著特有的认识人生的特点。检测：是否具有精读能力、反思能力、举一反三能力。 | 这一阶段是人生品质形成的重要时期，应增加精读书目数量，结合专项素质品质（如意志、乐观、进取、尊严等），进行重点阅读，以形成分析、反省、批判综合能力。要记读书笔记。每周阅读不低于6小时。 |

　　**注**：励志版名著兼顾课本、课标，但绝不仅仅为了考试。如通过对《老人与海》的专项阅读，培养学生的意志品质。这套名著强调对素质品质形成与成长的帮助，是其根本特点。

无障碍阅读

新课标必读名著·彩插励志版

Xinkebiao Bidu Mingzhu Caicha Lizhiban

# 三国演义

【明】罗贯中 著

商务印书馆

## 如何进行价值阅读

——《三国演义》一书以"三国悲情谋士"为例进行解读

### 故事简介

《三国演义》是我国古代第一部长篇章回体小说，它从文学角度再现了汉末黄巾起义到西晋统一这八九十年间的历史。小说揭示了公元3世纪时期，以曹操、刘备、孙权为首的魏、蜀、吴三国集团之间的矛盾与斗争，展示了那个时代尖锐复杂而又极富传奇色彩的政治与军事冲突，而在这些冲突中，表现极为耀眼的还是那些智慧超群的谋士们。也有些谋士就像流星，刚刚显现了过人的才华，转眼就消失在历史的长河中。

### 价值解读

1.关于正确选择

郭嘉从小胸怀大志，在他二十岁的时候，就能敏锐地感觉到天下即将大乱，像诸葛亮一样（确切地说是诸葛亮学习郭嘉）选择隐居以待时日。郭嘉出山最初选择的是当时拥有田丰等谋士、势力最强大的袁绍。但是数十日一过，郭嘉便看出袁绍优柔寡断，非成大事之人，便毅然而去。曹操招贤纳士时，荀彧、程昱共举郭嘉。曹操召见郭嘉问计，郭嘉说出了著名的"十胜十败"说。郭嘉是曹操最赏识的谋士之一，应该说，曹操之所以用兵如神，郭嘉的运筹帷幄起到了重要作用。

　　价值启示：你想要成就一番伟大的事业，选择什么样的队友是关键。好的队友能够帮助你披荆斩棘，所向披靡。而愚蠢的队友会把你拉向失败的深渊。

　　2.关于坚贞不屈

　　陈宫在吕布全面崩溃之后成了曹操的阶下囚，面对曹操这个胜利者，吕布贪生怕死，再三请降，而陈宫却毫不畏惧，凛然不屈。曹操问他是否后悔当初的选择，陈宫的回答不卑不亢："汝心术不正，吾故弃之。"曹操想要以陈宫的老母和妻子来软化他，陈宫坚决不为所动，"遂步下楼""伸颈受刑"。其节操之坚贞，正气之凛然，感动得"众皆下泪"。

　　价值启示：富贵不能淫，贫贱不能移，威武不能屈，此之谓大丈夫。人到了山穷水尽的地步，还能保持坚贞不屈，这是成大事者的品质之一。

　　3.关于抓住机遇

　　法正的一生，就像一颗璀璨的流星一划而过，就在这一瞬间，他发出了最耀眼的光芒，在历史的天空留下了一道深深的印迹。法正敢想敢做，有胆有识。他的一生，实际上也是知识分子奋斗的一生，他之所以能够取得成功，除了受社会条件等客观因素的影响，更是充分发挥主观能动性，积极创造条件，抓住机遇的结果。在我们这个重视个人价值的时代，从法正身上应该能够得到一些启发吧。

　　价值启示：我们多数人的毛病是，当机会朝我们冲奔而来时，我们还闭着眼睛，甚至在被机会绊倒时，还视而不见，很少有人能够主动去创造机会。只有睁大眼睛抓住机会，才可能获得成功。

**图书在版编目(CIP)数据**

三国演义 / 闻钟主编. – 北京：商务印书馆，2012
（最新课标必读名著　励志版）
ISBN 978 – 7 – 100 – 08956 – 2

Ⅰ．①三… Ⅱ．①闻… Ⅲ．①章回小说 – 中国 –
明代 – 缩写 Ⅳ．①I242.4

中国版本图书馆 CIP 数据核字（2012）第 033145 号

# 三　　　国　　　演　　　义

商　务　印　书　馆　出　版
（北京王府井大街36号　邮政编码　100710）
商　务　印　书　馆　发　行
三河市天功达印刷有限公司印刷
ISBN 9 7 8 – 7 – 1 0 0 – 0 8 9 5 6 – 2

2012 年 7 月第 1 版　　　　　　开本：880×1230　1/16
2018 年 3 月第 23 次印刷　　　　印张：14.5

定价：14.80 元

△ 张飞在桃园中备下青牛、白马等祭礼，三人一同来到桃园，焚香跪拜，立下誓言："今刘备、关羽、张飞在此结拜为异姓兄弟，同心协力，救困扶危，上报国家，下安百姓。不求同年同月同日生，只愿同年同月同日死。皇天后土，实鉴此心。背义忘恩，天人共戮！"如果想要让别人真诚相待，那么自己必须要对别人付出真心。真正的朋友是可以有福同享，有难同当的。

△ 关羽去向曹操辞行。曹操挂上回避牌不见他。关羽一连去了几次相府，曹操都是避而不见。关羽去见张辽，张辽也托病不见。关羽就写一封书信，派人送往相府，并把曹操赏的金银和汉寿亭侯大印挂在堂上，护送两位嫂嫂的车仗直奔北门。言必行，行必果。我们说出去的话一定要算数，切莫背信弃义。

△ 黄盖听从诸葛亮的战术，把手一招，前船一齐发火。火趁风威，风助火势，船如箭发，烟焰涨天。二十只火船，撞入水寨，曹寨中船只一时尽着；又被铁链锁住，无处逃避。但见三江面上，火逐风飞，一派通红，漫天彻地。读万卷书行万里路，只有不断学习进取，才能像诸葛亮一样找到解决问题的正确方法。

△ 曹操打了败仗之后，不得已割须弃袍，逃跑之间，背后一骑赶来，回头一看，正是马超。曹操没办法，围着树绕圈子跑。马超一枪刺去，却刺在树上，待拔下枪再追，曹操已逃远。山穷水复疑无路，柳暗花明又一村。任何时候，面对挫折，我们都不应该放弃希望，要用自己的智慧去克服生活中的种种困难。

△ 关羽喝了几杯，边跟马良下棋，边伸臂让华佗医治。华佗取出尖刀，让士兵捧盆在下面接血。他割开皮肉，见骨头已发青，就嚓嚓地刮起来。关羽边喝酒吃肉，边谈笑下棋，全无痛苦之色。坚强的意志可以让我们在通往成功的路上走得更顺畅，无论伟人还是小人物，只要拥有坚强的意志，他就可以成就一番自己的事业。

△ 诸葛亮强自支撑病体，命左右之人把他扶上小车，出寨遍观各营；一阵秋风吹过，诸葛亮感觉彻骨生寒，于是长叹一声："再不能临阵讨贼矣！悠悠苍天，曷此其极！"古往今来，做到像诸葛亮这样"鞠躬尽瘁，死而后已"的人很少，对于我们而言，做事尽了自己最大的努力，也可以不留遗憾了。

　　《三国演义》全称《三国志通俗演义》，是中国古代第一部长篇章回体小说，为四大名著（即《三国演义》《水浒传》《西游记》《红楼梦》）之一，是历史演义小说的经典之作。小说讲述的是东汉末年到西晋初年将近百年的历史故事。东汉末年，天下大乱，群雄并起，北方的曹操"挟天子以令诸侯"，歼灭袁绍、袁术之后，统一黄河流域，占据着中原地带；刘备三顾茅庐，请得诸葛亮出山后，以"帝室之胄"自称，打着"光复汉室"的口号，联吴抗曹，赤壁之战之后占据西川全境；江东孙氏在江东六郡八十一州站稳了脚跟，到孙权时代实力更加强盛。魏、蜀、吴三国崛起，三足鼎立之势形成。

　　三国战局拉开后，孙权趁关羽和曹兵交战之时，派兵偷袭荆州，导致关羽败走麦城，死于孙权手上。曹操病死后，其子曹丕废汉自立，建立魏国。刘备继汉统，建立蜀汉。此后，为了报关羽被杀之仇，刘备亲征江东，结果孤军深入，被陆逊打败。刘备重病白帝城，托孤于诸葛亮。刘备死后，诸葛亮辅佐少主刘禅，独撑危局。其间，诸葛亮坚持联吴抗曹的方略，七擒孟获之后，稳定了后方。继而又先后六出祁山伐魏，但均以失败告终。诸葛亮也积劳成疾，病死军中。他死后，姜维继其职，先后九伐中原，均无功而返。后主刘禅昏庸，朝政腐败，蜀汉国力日渐衰弱。曹魏政权在曹丕死后，大权落入司马氏之手。司马炎篡魏，建立西晋。先灭蜀汉，后亡东吴，三分天下至此重归统一。

### 3 个阅读要点

◎对人物形象的理解要从共性中找出个性,理解历史上曹操的是非功过,辩证分析历史人物,感受他们的性格差异。

◎有选择地阅读,区分重点情节和非重点情节。如"三顾茅庐""草船借箭""火烧赤壁""空城退敌"等情节,可重点阅读。

◎准确把握人物的形象以及作者的思想脉络,体会不同人物的语言特点。

### 2 个知识要点

◎《三国演义》善于把人物放在惊心动魄的军事、政治斗争和复杂的矛盾冲突中,通过故事情节和人物语言来表现其复杂的性格。

◎以三国的矛盾斗争为主线,既写得曲折多变,而又前后连贯;既有主有从,而又主从密切配合。这种描写方法,值得我们学习借鉴。

### 1 个成长要点

◎《三国演义》开创了历史演义小说的先河,书中不仅有波澜起伏、气势磅礴的战争场面,还成功刻画了众多的人物形象,有优点,有缺点,各具其态。从这些人物身上,让我们感悟到,有两种人的成功是必然的。一种是经过生活严峻的考验,经过成功与失败的反复交替,终于成大器。另一种是没有经过生活的大起大落,但在某一领域通过自我研修达到了顶尖的地步。成功的过程是漫长而艰辛的,不仅需要我们有决心,更需要我们有恒心。

# 目　录
CONTENTS

# 第一回　桃园三结义

**导读**

东汉末年，皇帝昏庸，宦官擅权，张角兄弟起兵造反。涿县刘备不甚读书，以贩屦织席为业。与张飞、关羽相识，三人在张飞家的桃园结义，随后开始招兵买马，对张角的黄巾军进行围剿。

**天**下大势，分久必合，合久必分 (总领全书)。春秋战国时期，天下混乱，秦始皇兼并六国，统一了天下。秦朝二世而亡，天下又陷入混乱。西楚霸王项羽和汉中王刘邦开始争夺天下，刘邦消灭了项羽，建立了汉朝，天下重归统一。可是到了汉灵帝时，宦官势力猖獗 (chāng jué, 凶恶而放肆)。灵帝身边有十个弄权的宦官，人称十常侍，灵帝竟称为首的张让为"阿父"。皇帝昏庸，天灾不断，宦官陷害忠臣，从此天下又一次大乱起来。

当时在巨鹿郡有张角、张宝、张梁兄弟三人。张角本来是个没考上功名的秀才，有一次上山采药，遇到个自称南华老仙的道人，道人给张角三卷天书，名为《太平要术》。张角熟读天书后，自称"太平道人"。中平元年（184年）出现了瘟疫，张角用符水救活了无数百姓。他亲自传授了五百名弟子，让他们云游天下，召集人马，收拢了数十万人，个个头戴黄巾，人称"黄巾军"。然后传言："苍天已死，黄天当立。岁在甲子，天下大吉。"可惜，他的弟子唐周怕事，提前向官府举报张角造反。灵帝得报，就派中郎将卢植、皇甫嵩、朱隽（jùn）领兵讨贼。

有一支黄巾军兵犯幽州，太守刘焉贴出布告招募义兵。布告发到涿县的时候，很多人都在围观，有一个人身长八尺，两个耳朵快垂到了肩膀上，双手伸直能超过膝盖。原来是中山靖王刘胜的后人，汉景帝的后代子孙，姓刘名备，字玄德，已经二十八岁了。据说，他家门前有一棵大桑树，远远望去就像车盖。一个相士曾经预言："这一家要出贵人。"刘备小时候跟小伙伴在树下玩，就说过："我为天子，当乘此车盖。"因为他父亲早丧，家道败落，只好贩卖草鞋赚钱度日。

刘备看了招兵的榜文，长叹一声。忽然，听背后有人高声说："大丈夫不想去为国家出力，在这儿叹什么气？"刘备回过头一看，说话的人身高八尺，脑袋像豹子头，眼睛像铜环，满脸络腮胡子如同虎须，说话就像打雷一样（人物描写，点出了张飞粗犷的性格）。刘备就问他姓名，那人说："我姓张名飞，字翼德，祖祖辈辈都居住在涿县，靠卖酒杀猪为生，爱好结交天下豪杰。刚才见你看榜长叹，所以前来问问。"刘备说："我本汉室宗亲，姓刘，名备。今闻黄巾倡乱，有志欲破贼安民，恨力不能，故长叹耳。"张飞说他愿出钱招募士兵，跟刘备一起成就大事。刘备听了非常高兴，二人就去一家酒店饮酒。

　　这时，就见一个大汉推着一辆车子在酒店门前停下，进店就喊："快拿酒来，我吃了好去投军。"刘备见这大汉身高九尺，胡子有二尺长，脸色像枣一样红，丹凤眼，卧蚕眉，非常威武。刘备就邀他同坐，问他姓名。这个大汉说："我姓关名羽，先字寿长，后改云长，河东解良人。因乡里恶霸仗势欺人，我打抱不平杀了土豪，逃了出来，已经五六年了。听说这里招兵，就前来投军。"刘备听完很是敬佩，说："我本来是汉室宗亲，中山靖王之后，也想杀贼报国，可是心有余而力不足呀。"关羽听后，表示愿意效力，刘备非常开心。

　　三人边说边笑，来到张飞的家里。张飞说："我庄子后边有一个桃园，现在正是桃花盛开的时候，明天我们到园中祭拜天地，结为兄弟，共图大事。"刘备、关羽都赞成。

　　第二天，张飞在桃园中备下青牛、白马等祭礼，三人一同来到桃园，焚香跪拜，立下誓言："今刘备、关羽、张飞在此结拜为异姓兄弟，同心协力，救困扶危，上报国家，下安百姓。不求同年同月同日生，只愿同年同月同日死。皇天后土，实鉴此心。背义忘恩，天人共戮（lù，杀）！"三人中刘备年长为大哥，关羽次之为二哥，张飞最小为三弟。杀牛摆酒，在乡中招募了三百勇士，在桃园开怀畅饮。三人收拾了一些兵器，却愁没有战马可骑，正好这时来了两个贩马的客人，赶了一群马，来到张飞的庄上。刘备说："真是天助我呀！"三人走出大门迎接，原来是两个大商人，一个叫张世平，一个叫苏双，刘备请二人到张飞家里喝酒，并向二人讲述了自己的志向，二人赠送他们好马五十匹，

金银五百两，镔铁一千斤。刘备谢了两人，请来高手工匠，为他自己打造了一对日月雌雄双股剑，为关羽打造了青龙偃月刀，为张飞打造了丈八蛇矛。又打造了全身的盔甲。没过几天，就聚了五百多人，前去投奔太守刘焉。刘焉见三人非常威武，十分高兴，问过三人姓名，刘备说自己是汉室宗亲，刘焉就将他认作了侄子。

没几天，黄巾军将领程远志率领五万大军来犯涿县。刘焉令刘备三人领兵五百前去破敌。两军相对，刘备扬鞭大骂："你这个反国贼，还不快快投降!"程远志大怒，命副将邓茂出战。张飞直接用丈八蛇矛刺中邓茂心窝，邓茂翻身落马。程远志拍马来砍张飞，关羽舞动大刀，程远志措手不及，被关羽砍为两段。

黄巾军一见程远志被斩，扔下兵器就跑了。刘备领军追赶，很多人都投降了。刘焉亲自迎接，犒赏士兵。第二天，接得青州太守的求援信。刘焉命刘备前去救援。刘备兵分三路，黄巾军大败，青州太守也率民兵出城助战，遂解青州之围。刘备说："听说中郎将卢植与贼首张角在广宗会战，我曾经在卢植门下学习，想去广宗帮助他。"刘、关、张三人领着本部五百人来到广宗。卢植大为高兴，留在帐前听用。

卢植让刘备去颍川支援，刘备率军来到颍川，黄巾军已经失败，都逃跑了。见到皇甫嵩后，皇甫嵩说："张宝、张梁兵败，你们还是回去支援卢植吧。"于是，刘备又领兵返回。正走到半路上，看见前面一队人马押送一辆囚车，车中的犯人竟是卢植。刘备慌忙下马，询问原因，原来朝廷差黄门左丰前来督军，左丰向卢植索要贿赂，卢植没给，左丰便让董卓接替卢植，押卢植回京城问罪。张飞大怒，要杀押送的官兵，刘备忙阻止他，说朝廷自有公论。卢植被押走后，三人无奈，就决定先回涿郡。

走了两天，忽然听到前面杀声震天，三人率人马冲杀过去。原来张角正穷追董卓，刘备三人救下董卓，董卓一听三人是义兵，没有官职。董卓就变了脸，连礼也不行了（动作神态描写，表现了董卓自己没有本事还目中无人）。三人又带本部人马前去投奔朱隽。

朱隽在刘备三人和孙坚的帮助下，打败了黄巾军。班师回京后，朝廷封朱隽为车骑将军、河南尹。朱隽奏明孙坚、刘备等人的功劳，孙坚被封为郡司马，上任去了。刘备等了好几天都没有消息，向郎中张钧说了三人的功劳，张钧前去见灵帝，灵帝封刘备为定州中山府安喜县尉。

刘备上任不到四个月，恰逢督邮（汉代各郡的重要属吏，代表太守督察县乡）到县里视察。督邮问刘备："刘县尉是什么出身呀？"刘备说："我是中山靖王的后代，汉室宗亲，自涿郡开始参军，大小三十余战，有一些战功，因此才得到这个职务。"督邮大声骂道："你竟敢假冒皇亲，虚报功劳，现在朝廷有诏书，就是要淘汰像你们这种官员！"刘备退回衙门后，有一个县吏对刘备说："督邮是想索取贿赂呀。"刘备说："我哪儿有钱给他？"第二天，督邮把县吏都叫过去，命令他们诬陷县尉。刘备几次前去求情，都被挡在门外。

张飞一肚子闷气，多喝了几杯酒，骑马从驿馆门前经过，看见五六十个老人哀求督邮不要处罚刘备，反被督邮差下人毒打。张飞大怒，见到督邮大骂："害民贼，认得我吗？"揪住督邮绑在拴马桩上，折下柳条冲着督邮两腿上乱打，把柳条打断数十根。刘备听到外边喧闹，跑出去一看，只见张飞正在鞭打督邮，忙劝住张飞，张飞不依。督邮连忙求饶："玄德公救我。"刘备于心不忍，就让张飞不要再打了。关羽赶过来说："我们立了这么多功劳，才当了个小小的县尉，还被督邮羞辱，不如弃官回家，以后再想办法。"刘备取来官印，挂在督邮的脖子上，弃官而去。三人离开安喜县后，督邮到定州太守那里告了刘备一状，太守就派人捕捉刘备三人。

## 成长启示

　　刘备、关羽和张飞为了共同干一番大事业，意气相投，言行相依，选在桃花盛开的季节，在一个桃花绚烂的园林，举酒结义，对天盟誓，有难同当，有福同享，共同实现自己人生的美好理想。而理想也不会抛弃苦心追求的人，只要不停止追求，就会沐浴在理想的光辉之中。

## 要点思考

　　1.刘备为什么要关羽、张飞和他一起讨伐黄巾军？

　　2.督邮为什么会被张飞鞭打？

## 写作积累

　　●刘备回过头一看，说话的人身高八尺，脑袋像豹子头，眼睛像铜环，满脸络腮胡子如同虎须，说话就像打雷一样。

# 第二回  曹操献刀

**导读**

司徒王允假借庆寿，约请几位旧臣到他府中叙谈。当他谈到"社稷旦夕难保"时，情不自禁，掩面哭泣。骁骑校尉曹操自告奋勇，愿行刺董卓。他借王允七星宝刀来到董卓相府，伺机行刺。曹操能成功吗？

十常侍在朝中掌握重权，朝政是越来越败坏，人怨沸腾。中平六年夏四月，灵帝病情加重，要立小儿子刘协为帝。中常侍蹇（jiǎn）硕说："要立小皇子为帝，就必须先杀何进（皇后的哥哥，少帝刘辩的舅舅）。"灵帝同意，召何进入宫。有人向何进报信："灵帝已经死了。现在蹇硕要立小皇子为帝。还要先把你杀了。"于是何进领五千御林军，杀进宫去，在灵帝的棺材前，扶立大皇子刘辩登上皇位。

何进想要把张让等人都杀掉，他的妹妹何太后不准。袁绍说："可以召来四方英雄之士，领兵来京杀尽宦官（语言描写，为董卓进京做铺垫，也是诸侯混乱的起因）。"何进说："此计大妙！"

主簿陈琳说：“不可以！俗云：‘掩目而捕燕雀，是自欺也。’今将军想要杀宦官，非常简单，只要快速发兵，则众人都会顺从。却反让外郡大臣，领兵来犯京城，如果不成功，反而产生混乱呀。”何进笑着说：“这是胆小鬼的表现！”旁边一人边鼓掌边大笑，说：“这件事非常简单，何必多议！”大家一看，原来是曹操。

曹操的父亲名叫曹嵩，本来复姓夏侯，后来过继给宦官曹腾，于是改姓曹。曹操，字孟德，小名阿瞒，从小喜爱游猎、歌舞。当时著名的相士许劭见了他，说：“子治世之能臣，乱世之奸雄也。”他二十岁举孝廉，任洛阳北部尉，负责京城治安，立五色棒，打死了蹇硕的叔叔，洛阳的权贵再也没人敢犯禁了。这时，曹操正出任骑都尉。

何进便问他如何办，曹操说：“这件事很容易，只要把宦官全部逮住，下到监狱就行了！一旦要召外兵，事情就会败露，必然会失败的。”何进骂曹操怀有私心。曹操出了何府，叹道：“让天下混乱的，必定是何进！”

董卓接到何进的假圣旨，非常高兴，正好能够趁机实现他自己的野心，就带领二十万大军向洛阳进发。张让得知消息，假传何太后旨意，让何进进宫。陈琳劝何进不能去，何进不听（动作描写，刻画了何进的刚愎自用）。曹操让何进先把十常侍调出宫，然后再进宫，何进还是不听。最后让袁绍和曹操各选五百精兵，跟着何进来到长乐宫外，门卫说只准何进一人入内。何进一进宫，张让、段珪等就率人把他砍为两段。袁绍、曹操劈开门，冲进内宫，见到宦官就杀。

张让等人劫持少帝和刘协逃到北邙 (máng) 山，前面有军马拦路。张让害怕，投河自尽了，刘辩、刘协被人寻到，便要回京。正走着，看见一支人马赶来，一员将军出马，说："我是西凉刺史董卓，特来保驾。"刘协说："既然是来保驾，天子在此，为什么不下马？"董卓连忙下马，跪在道旁。

董卓领兵驻扎在城外，每天带兵马进城，横行霸道。何进死后，董卓把何进的兵马收到自己部下，开始商议废少帝立陈留王，第二天董卓在温明园宴请百官，待人都到齐了，董卓就说明他要废掉少帝，立陈留王为帝。只见荆州刺史丁原站了出来，大骂董卓是篡位逆贼。董卓要杀丁原，却看见丁原身后站着一个将军，威风凛凛，拿着方天画戟（jǐ），瞪着董卓。李儒劝下董卓，丁原上马走了。董卓又问百官，卢植也站出大骂董卓篡位。董卓要杀卢植，但因卢植德高望重，董卓只好不了了之。

董卓问李儒，那个拿着方天画戟的是什么人。李儒说，那是丁原的义子，叫吕布，字奉先。董卓又问，如何能收吕布。中郎将李肃说："我和吕布是同乡，他有勇无谋，见利忘义，主公把那匹赤兔马送给他，他一定会反丁原，来投奔主公。"董卓答应了，就让李肃带上礼物，献给吕布。吕布一见那赤兔马，十分喜爱。当夜，杀了丁原，投奔董卓。董卓万分高兴，收吕布为义子。从此董卓势力更大。他废掉少帝，改立陈留王刘协为帝；接着又废了何太后。第二年春天，董卓就命李儒把少帝、何太后和唐妃都杀害了。

董卓的罪行，让百官和百姓愤怒。司徒王允也想不出什么好计策，对众大臣说："今天老夫过生日，晚上备了薄酒请众位前来小酌。"晚上，王允在家请众大臣喝酒，忽然掩面大哭。众人忙问他为什么哭。王允说想杀董卓，可是没有好办法。这时，曹操说："我现在已经得到了董卓的信任，听说司徒大人有一把七星宝刀，请先借给我，我去刺杀董卓。不成功便成仁（出自《论语·卫灵公》，泛指为正义事业而牺牲生命）。"王允亲手倒酒奉到曹操面前，曹操举酒立誓，王允把七星宝刀交给了曹操。第二天，曹操带着七星宝刀来到董卓府上，董卓坐在床上，吕布站在床边。董卓见曹操来了，就问："孟德今天怎么来晚了？"曹操说："我的马太瘦弱跑不快。"董卓说："我有西凉（古代凉州别称。凉州在中国的西部，故称西凉、西州。意为"地处西方，常寒凉也"）进来的好马，奉先亲自去挑选一匹交给孟德。"吕布就去挑马。吕布出去后，曹操想拔刀杀掉董卓，又害怕董卓力量太大，没敢动手。董卓身体肥胖，不能长时间坐着，便侧身向里躺到床上。曹操急忙抽出刀来，正要下手刺杀董卓，董卓却从床里的镜子中，看到曹操在身后拔刀，忙回过身来问："孟德想干什么？"这时，吕布也牵着马来到门外。曹操惊慌，忙举刀跪下来，说："我有一把宝刀，来献给丞相（动作语言描写，表现了曹操的机智）。"董卓接过刀一看，刀身一尺多长，镶着七颗宝石，非常锋利，果然是把宝刀，于是让吕布收下。董卓领着曹操出门看马，曹操说："我想骑一下试试。"董卓允许，曹操上了马，望东南方向跑去。吕布跟董卓说："刚才曹操好像要刺杀义父，被你识破，推说是献刀。"董卓说："我也是很怀疑。"正说着，李儒来了，董卓便跟李儒说了此事。李儒说："曹操一个人住在京城，现在派人去请他，他要是来了，就是献刀，要是不敢来，就是行刺。"董卓便派了四个人去找曹操，过了很长时间才回来报告："曹操没有回家，假借丞相的旨意，骗开东门，骑马逃跑了。"李儒说："曹操心虚逃跑，这件事必然有其他同谋，一定要捉住曹操，让他供出同谋。"董卓大怒，就发下文书，画上曹操的头像，命令各地捉拿曹操，捉住者赏千金，封万户侯，窝藏者同罪。

### 成长启示

为了除掉祸国殃民的董卓，司徒王允和曹操定下刺董之计，曹操手持七星刀刺杀董卓，不料却被发现，曹操随机应变，以献刀为名瞒了过去。三国时代，动荡不安，将曹操直接评价为汉贼也有所不妥。这个故事正好说明了曹操的机智与随机应变的能力，为写他日后成就大业做出了铺垫。智慧是一个人成功最重要的条件之一，缺了它，什么事也做不成。

### 要点思考

1. 曹操为什么要去刺杀董卓？

2. 在刺杀董卓这件事上，你如何看待曹操？

### 写作积累

● 人怨沸腾  不了了之  不成功便成仁

● 董卓接过刀一看，刀身一尺多长，镶着七颗宝石，非常锋利，果然是把宝刀，于是让吕布收下。

# 第三回　三英战吕布

**导读**

董卓亲率西凉大军前来征讨袁绍、曹操等讨董盟军，董军大将吕布接连斩杀了数员盟军大将，一时无人敢应战。张飞大喝一声单挑吕布，刘备、关羽二人也相继加入，三英大战吕布，结果如何呢？

曹操逃出京城，路过中牟（mù）县，被守关的士兵捕获，送到县衙。中牟县令名叫陈宫，字公台，曾经在京城见过曹操，尽管曹操说自己是商人，姓皇甫，仍被陈宫认出，押进监狱。当天晚上，陈宫便放了曹操，自己也弃官不做，跟曹操一起骑马直奔谯郡（今河南商丘县南。谯，qiáo）。

路过成皋时，曹操想起他父亲的朋友吕伯奢就住在附近，就和陈宫一起前去投宿。吕伯奢见了曹操，曹操说了这件事的经过。吕伯奢拜谢了陈宫，便安排他们住下，自己骑驴出去打酒。曹操等了很长时间，见吕伯奢不回，与陈宫悄悄来到屋后，听到有人在说话："绑上再杀!"曹操大为吃惊，以为吕家的人要杀他，就拔剑冲进屋内，见人就杀，把吕家的人全杀死了（动作描写，表现了曹操猜忌心重）。搜查到厨房时，却见地上绑着一只大猪。陈宫说："孟德你太多疑了，这是误杀好人呀！"二人慌忙上马逃跑。走了不远二里，正好碰见吕伯奢回来了，吕伯奢骑着驴，前面挂着两瓶酒。吕伯奢问他们怎么这么快就要走，曹操说他有罪，不敢久留。曹操说："后面那人是谁？"吕伯奢一回头，曹操一剑把他砍下驴背。陈宫大惊，问曹操："刚才是误杀，现在为什么要杀他？"曹操说："他回到家，见家人被我杀死，一定会带人来捉我们，那时就大祸临头了。"陈宫指责曹操不仁义，曹操说："宁教我负天下人，休教天下人负我！"晚上，陈宫趁曹操睡熟独自走了。

曹操第二天醒来，起床后找不着陈宫，心里猜想，陈宫已经放弃他了，急急忙忙赶到陈留，向父亲曹嵩说明经过，劝父亲拿出全部家产招募义兵，讨伐董卓。曹嵩请来卫弘，请卫弘资助儿子起兵。卫弘欣然答应，慷慨解囊。曹操开始招兵买马，没过几天，就有许多英雄豪杰前来应募。有一个阳平人，姓乐，名进，字文谦，来投曹操。又有一个巨鹿人，姓李，名典，字曼成，也来投曹操。又有沛国谯人夏侯惇，字元让，听说曹操起兵，与他弟弟夏侯渊两个，各自领着一千多人来投曹操。这二人本是曹操的弟兄：曹操父亲曹嵩原来是姓夏侯，从小过继给曹家，因此这二人与曹操是同族。不几天，曹家兄弟曹仁、曹洪各引兵千余来助。曹仁字子孝，曹洪字子廉，二人武艺高强。曹操大为高兴，在村里演练兵马。卫弘尽出家财，置办衣甲旗幡。四方乡亲还有很多送粮食的。曹操假传圣旨，快马送往各地，邀天下英雄出兵讨伐董卓。

袁绍接到曹操的假圣旨，就领了三万人马离开渤海，前往陈留与曹操会师。各地诸侯都起兵响应，有袁术、韩馥（冀州牧，与袁绍一起有意立刘虞为皇帝。馥，fù）、公孙瓒等十七路人马，多的带兵三万，少的带兵一两万，都领着文官武将，向洛阳赶来。

北平太守公孙瓒率兵去陈留会盟，路过平原县，见到了刘备与关羽、张飞。公孙瓒便邀请他们三人跟他一起去讨伐董卓。

曹操命人杀牛宰马，大会诸侯。河内太守王匡说："今天我们举大义，必须立一个盟主出来，大家听从盟主的约束，然后共同进兵。"曹操说："袁本初（袁绍字本初）祖上四辈中出了三个公爵，朝廷很多官员是袁家的学生，可以成为盟主。"袁绍假意推让几次，就应允了。第二天，筑起三层高台，请袁绍登坛接盟主位，读了盟誓，饮了血酒。袁绍说："既然我为盟主，大家就要严守军纪，有功必赏，有过必罚，不得违犯。"袁绍就派弟弟袁术总督粮草，长沙太守孙坚为先锋，进攻汜（sì）水关。

董卓得到消息大惊，召集大家商议，吕布要领兵迎敌，董卓大喜。华雄说："割鸡焉用牛刀，我去就行了。"董卓就命华雄为骁骑校尉，领兵五万，同李肃、胡轸、赵岑星夜赶到汜水关。济北相鲍信怕孙坚夺了头功，派弟弟鲍忠暗中带着三千人马，抄小路到汜水关。华雄领五百人出战，一刀把鲍忠斩了。董卓加封华雄为都督。

孙坚带领程普、黄盖、韩当、祖茂四人来到汜水关，胡轸领着五千人马迎敌，程普出战，几个回合便刺死胡轸。孙坚挥军攻城，关上乱箭射出，孙坚只好退兵回梁东，一面派人往袁绍处报捷，一面去袁术处催粮，袁术却不发粮草。华雄当夜偷袭孙坚营寨，孙坚慌忙迎敌，这时，李肃领兵在后寨放火，孙坚的士兵慌乱逃窜，孙坚突围而去。华雄紧紧追赶，祖茂为保护孙坚，挥刀去迎华雄，却被华雄杀死。到了天明，华雄收兵回关去了。程普、韩当、黄盖找到孙坚，派人前去报告袁绍。

　　袁绍大惊说："没想到孙坚竟然败给了华雄。"连忙召集诸侯商议，众人面面相觑，都不知该怎么办。袁绍抬头看了看众人，只见公孙瓒背后有三人在那冷笑。袁绍问："公孙太守背后是什么人？"公孙瓒让刘备站出来，说："这是我的同窗好友，平原县令刘备。"曹操说："莫非是破黄巾的刘玄德？"公孙瓒说："是的。"公孙瓒将刘备的功劳和出身细说了一遍。袁绍说："既然是汉室宗亲，取个座位来。"命刘备坐下。刘备谦虚了一下，说："我官职太小。"袁绍说："我不是看重你的职位，我敬你是汉室宗亲。"让刘备坐在最靠门的马扎上。探子来报："华雄用长竿挑着孙坚太守的头盔，来寨前挑战。"袁绍说："谁敢去战？"袁术背后的大将俞涉说："小将愿往。"袁绍便让俞涉出马。一眨眼的工夫，探子报来："俞涉与华雄战了不到三合，就被华雄斩了。"众人大惊。太守韩馥说："我有上将潘凤，可斩华雄。"袁绍急令潘凤出战。不一会儿，探子飞马来报："潘凤又被华雄斩了。"众人脸色大变。袁绍说："可惜我的大将颜良和文丑没来！要是有一个人在这儿，又何惧他华雄！"话还没说完，下面一个人大喊："小将愿去斩了那华雄的头！"众人一看，见这个人身长九尺，胡子长二尺，丹凤眼，卧蚕眉，面红得比枣还红，声音响亮。袁绍问这是谁。公孙瓒说："这是刘备之弟关羽。"袁绍问他现在是什么职位。公孙瓒说："跟随刘备充当马弓手。"袁术大声喝道："你欺辱我们没有大将吗？一个小小的弓手，竟敢胡言乱语！给我打出去！"曹操急忙劝住，说："这个人既然敢说大话，就让他去试试，如果他不能胜，再责罚他（动作语言描写，表现了曹操爱惜人才）。"袁绍说："让一个弓手出战，恐怕会被华雄耻笑。"曹操说："此人仪表不俗，华雄怎知道他是弓手？"关羽说："要是不胜，你斩了我的头。"曹操命人端来一杯热酒，让关羽饮了再上马。关羽说："酒先放下，我去去就来。"众人听得外面鼓声大震，如天摧地塌，大为惊讶。正要派人去探听，只见关羽提着华雄的脑袋，扔到地上。这时候那杯酒还温着呢。曹操大喜，只见刘备背后转出了张飞，高声大叫："俺哥哥斩了华雄，现在不杀人关去，活拿董卓，还要等到什么时候！"袁术大怒，喝道："我们朝廷大臣还知道谦让，你一个县令手下小兵，竟敢在这里耀武扬威！都给我赶出帐去！"曹操说："有功就该赏，何必计较贵贱呢？"袁术说："既然你只看重一个小县令，那我们就告退了。"曹操说："岂能因为一句话就误了大事？"命公孙瓒把刘备、关羽、张飞带出去。

华雄的手下将战况报给李肃。李肃慌忙写告急文书，快马传给董卓。董卓急忙召李儒、吕布等人商议。李儒说："现在牺牲了大将华雄，贼势浩大。袁绍为盟主，袁绍的叔叔袁隗（wěi），现为太傅；如果他们里应外合，就要坏事了，可先把袁隗除掉。请丞相亲自领着大军，分拨剿捕。"董卓答应，让李傕（jué）、郭汜领兵五百，围住太傅袁隗家，不分老幼，全部杀光，把袁隗的脑袋挂到关前。董卓点起二十万大军，分为两路，让李傕、郭汜率领支援汜水关。董卓与李儒、吕布等带兵十五万，守虎牢关。

袁绍与诸侯商议。曹操说："兵分两路迎敌。"袁绍就命王匡、乔瑁、鲍信、袁遗、孔融、张杨、陶谦、公孙瓒八路诸侯往虎牢关迎敌，曹操领兵来回救应。河内太守王匡领兵先到虎牢关，吕布带着三千骑兵，前来迎战。王匡停马一看，只见对面吕布：头戴三叉束发紫金冠，体挂西川红锦百花袍，身披兽面吞头连环铠，腰系勒甲玲珑狮蛮带；弓箭随身，手持画戟，坐下嘶风赤兔马，果然是"人中吕布，马中赤兔"！王匡回头问："谁敢出战？"河内名将方悦出战，一个照面就被吕布刺于马下（动作描写，表现了吕布的勇猛），匡军大败，四散奔走。随后五路军马都到了，王匡说吕布英雄，无人能敌。

小校报来："吕布前来挑战。"八路诸侯，一齐上马。上党太守张杨命部将穆顺出马迎战，被吕布一戟刺于马下。众人大惊。北海太守孔融命部将武安国出战，吕布拍马来迎，一戟砍断武安国的手腕。八路大军齐出，救了武安国。曹操说："吕布英勇无敌，等十八路诸侯都到了，一起商量办法。"

吕布又来挑战，公孙瓒亲自去战吕布，没几回合，公孙瓒大败，放马就跑。吕布骑着赤兔马赶来，那赤兔马日行千里，眼看就要赶上了，吕布举戟往公孙瓒的后心便刺。旁边一个大汉，圆睁环眼，倒竖虎须，拿着丈八蛇矛，大叫："三姓家奴休走！燕人张飞在此！"吕布见了，放弃了公孙瓒，便前来战张飞，连斗了五十余回合，不分胜负。关羽见了，把马一拍，舞着刀来夹攻吕布，战到三十回合，战不倒吕布，刘备举着双剑也来助战。这三人围住吕布。转着圈厮杀，剩下的人都看得呆了。前有方悦、穆顺、武安国，后有公孙瓒和刘、关、张，吕布再好的体力也吃不消。吕布冲着刘备的脸上虚刺一戟，刘备急闪。吕布冲开阵角，飞马便回虎牢关。三人直赶吕布到关下，看见关上飘动着青罗伞盖，张飞大叫："这个一定是董卓！"拍马上关，来擒董卓，却被乱箭射回。

## 成长启示

刘备、关羽、张飞三人各自身怀绝技，围剿黄巾军之后已经名满天下。这次虽然是吕布先收兵，然而吕布在三人围攻之前已经斩杀了多员将领，并且以一敌三，表面上是吕布战败，实际上却是吕布赢了。所以说"强中自有强中手"，我们不能因为取得了一点成绩就扬扬自得起来，那样很容易让人失去斗志和方向。而越是谦虚的人越不容易满足，也就会取得更大的进步。

## 要点思考

1.曹操说："宁教我负天下人，休教天下人负我！"你怎么看待他的这种观点？

2.你怎样看刘备、关羽、张飞大战吕布？

## 写作积累

●慷慨解囊　割鸡焉用牛刀

●头戴三叉束发紫金冠，体挂西川红锦百花袍，身披兽面吞头连环铠，腰系勒甲玲珑狮蛮带；弓箭随身，手持画戟，坐下嘶风赤兔马，果然是"人中吕布，马中赤兔"！

# 第四回　孙坚藏玉玺

**导读**

孙坚率军进入已是废墟的洛阳，得到了有着五百余年历史的传国玉玺。第二天，盟军诸侯聚集洛阳残宫，庆贺讨董大获成功。孰料大殿之上，曹操、刘备、孙坚都对盟军表示了失望之情，相继离去。孙坚能够平安离开吗？

孙坚领着程普、黄盖来见袁术，质问袁术为什么不发粮草，让他大败而回。袁术因害怕而无话可说，就杀了进谗言的人，向孙坚道歉。正说着，有人来报孙坚，说有一个将军要见他。孙坚回到自己的寨中，来人原来是董卓的爱将李傕。李傕说他是前来说媒的，董卓愿把女儿许配给孙坚的儿子，被孙坚一番大骂。李傕回去报给董卓，说孙坚如何羞辱于他。董卓大怒，问李儒怎么办，李儒说："吕布新败，兵无斗志，不如退出洛阳，把献帝迁往长安。"董卓与吕布连夜赶回洛阳，聚集文武百官，董卓说要迁都，司徒杨彪（杨修的父亲）不同意，董卓大怒："你想阻挡国家大计吗？"太尉黄琬、司徒荀爽都不同意。董卓大怒，当天罢了杨彪、黄琬、荀爽的官职，贬为庶民。尚书周毖、城门校尉伍琼又来阻拦董卓迁都。董卓大怒说："我一开始听你俩的，保用袁绍；如今袁绍已经反了，你们是一伙的！"命武士将他们斩首。李儒说："现在钱粮缺少，洛阳富户很多，可以把他们的财产都没收了。与袁绍有牵连的，就杀了抄他们的家。"董卓差骑兵五千捉拿洛阳富户，说他们是反臣逆党，统统杀死，没收财产。

董卓动身时，命人把洛阳城烧成了焦土，又命吕布把先朝皇帝的陵墓挖开，取出陪葬的金银珠宝(侧面描写，突出了董卓贪婪自私，残暴不仁)。董卓把抢来的财宝都装了车，带着皇帝后妃前往长安。剩下的人见大势已去，向诸侯联军投降了。

孙坚第一个到达洛阳，只见火焰冲天，二三百里没有人烟。曹操见到袁绍，说："如今董卓向长安跑了，可乘势追击；你按兵不动，这是为什么？"袁绍说："士兵疲惫，追击恐怕没有意义。"曹操大怒："竖子不足与谋！"于是，自己领着万余兵，星夜追赶董卓。不料却中了李儒之计，遭到吕布伏兵围攻。最后曹操只带着五百残兵，退回洛阳。

孙坚灭了大火，在大帐中休息。有军士来报告说："大殿南边的井中放出五种颜色的光。"孙坚命人下井，捞上来一个锦袋。锦袋里面有个匣子。把匣子打开，里面却是玉玺，方圆四寸，上面刻着五龙交纽，缺了一角，是用黄金镶补的。上面有八个篆文："受命于天，既寿永昌。"孙坚问程普这是什么。程普说："这是传国玉玺，现在主公得到了，一定有当皇帝的机会。此处不可久留，应赶快回江东，图谋大事。"孙坚说："正合我意，明天便托病回去。"并令军士不得泄露秘密。

"要想人不知，除非己莫为。"没想到军士中有一人是袁绍老乡，连夜偷跑来报袁绍。袁绍给他很多赏赐，让他留在军中。第二天，孙坚来向袁绍告别，说："我生病了，想回长沙，特来告别。"袁绍笑着说："我知道你的病是因为传国玉玺。"孙坚脸色苍白，说："这话从何说起？"袁绍说："现在我们为国除害，玉玺是朝廷之宝，你既然获得了，就应该等杀了董卓，再归还给朝廷。如今你要藏玉玺离开，你想要干什么？"孙坚说："玉玺什么时候在我这儿了？"袁绍说："建章殿那个井中之物在哪里呀？"孙坚说："我本来就没有，为何苦苦相逼？"袁绍说："还是赶快拿出来吧。"孙坚指天发誓说："我如果得到玉玺，私自藏了，异日不得善终，死于刀箭之下！"众人说："孙坚既然发誓，想必是没有了。"袁绍唤那个军士出来，说："你在打捞玉玺之时，有没有这个人呢？"孙坚大怒，拔出剑要斩那军士。袁绍也拔剑说："你想杀人灭口吗？"袁绍背后的颜良、文丑都拔剑出鞘。孙坚背后的程普、黄盖、韩当也拔出刀(动作描写，写出了讨董联盟的分裂)。众人一齐劝阻，孙坚随即快马离开了洛阳。袁绍大怒，遂写书一封，差人连夜赶往荆州，送与刺史刘表，让刘表在路上截夺玉玺。

曹操兵败，痛斥袁绍按兵不动，便率本部人马离开了。公孙瓒也撤了，他任命刘备为平原相，自己回幽州去训练人马。兖州太守刘岱向东郡太守乔瑁借粮，乔瑁不给，刘岱率军杀死乔瑁。袁绍见众人自相残杀，领兵离开了洛阳。

荆州刺史刘表，字景升，他接到袁绍的书信，就命令蒯越、蔡瑁领兵拦截孙坚。孙坚问："蒯越为何领兵拦截我？"蒯越说："你既然是大汉臣子，为何要私藏传国之宝？"孙坚恼羞成怒，命黄盖出战。荆州军大败，孙坚乘势追击。前面刘表亲自领军来到，孙坚就在马上施礼说："景升兄为何相信袁绍的话，相逼邻居呢？"刘表说："你藏传国玉玺，想要造反吗？"孙坚说："我要是有玉玺，死于刀箭之下！"刘表说："你要是听我劝，交出玉玺，我让你回江东。"孙坚愤怒地说："你有什么力量，敢小瞧我！"双方大战一场，程普等保护孙坚杀出重围，逃回江东，从此与刘表结下仇恨。

袁绍进兵攻占了冀州，便撕毁了与公孙瓒平分冀州的盟约。公孙瓒发兵大战袁绍，被袁绍杀得大败。一个白袍少年单枪匹马杀退文丑，救下公孙瓒。公孙瓒问他姓名，他说："我是常山赵子龙。"公孙瓒收兵回营，让赵云（字子龙）与刘备相见，刘备拉着赵云的手久久不愿分开。

袁术向袁绍借一千匹马，袁绍不给。又向刘表借二十万石（中国市制容量单位，十斗为一石。石，dàn）粮食，刘表也不给。袁术大怒，写信给孙坚，让孙坚攻取荆州，他自己攻取冀州。孙坚接到袁术的书信，就要向荆州发兵报仇，部将劝他不要相信袁术，孙坚不理，挑选吉日发兵。刘表得知消息，召集手下商议对策。

孙坚大儿名孙策，字伯符，孙策要跟随父亲出征，孙坚答应了。孙坚杀到樊城，黄祖败退。孙坚乘胜追杀，黄祖吓得混在士兵中逃命。孙坚进兵围攻襄阳，一天，大风刮断了帅旗。韩当说："这是凶兆，先暂时退兵吧。"孙坚说："我百战百胜，马上就要取得襄阳了，岂可因此退兵！"孙坚命士兵继续攻城。蒯良定下计策，让吕公率人伏击孙坚。当天夜里，吕公率五百人杀出城。孙坚听说，便率三十名骑兵追击。吕公见孙坚追到,命人抛出石头,乱箭齐发,打得孙坚脑浆迸裂,乱箭穿身,死在马下,年仅三十七岁。

## 成长启示

孙坚得到传国玉玺是惹祸的根由。曹操、刘备、孙坚相继离去,使得讨董联盟土崩瓦解。袁绍、袁术兄弟二人皆对孙坚手中的传国玉玺垂涎三尺,各怀鬼胎。在三津渡,孙坚遇到刘表的拦截。在此我们可以看出,合作失败的人,常拆伙,因为彼此责难;合作成功的人,也常拆伙,因为各自居功。在团队合作中,彼此的信任与支持是尤为重要的。单枪匹马不一定成功,而永久的合作必将会产生一股强大而持久的力量。

## 要点思考

1. 孙坚为什么要藏起传国玉玺?

2. 曹操为什么要离开讨董联盟?

## 写作积累

●锦袋里面有个匣子。把匣子打开,里面却是玉玺,方圆四寸,上面刻着五龙交纽,缺了一角,是用黄金镶补的。上面有八个篆文:"受命于天,既寿永昌。"

●要想人不知,除非己莫为。

# 第五回　王允使美人计

**导读**

　　吕布在郿坞窥见满脸泪痕的貂蝉，董卓发现后，下令吕布不得进入郿坞。事后，董卓听从了谋士李儒的建议，准备将貂蝉转赐吕布，遭到了貂蝉的假意推辞。貂蝉为什么这样做呢？

　　**董**卓听说孙坚死了，大为高兴，出入竟用天子的仪仗，董家的人不分老幼都被封侯（刻画董卓的得意忘形，为下文的被杀做铺垫）。董卓抢美女、夺金银财宝不计其数，每次出入都让百官送迎。一次，北方送来几百降卒，董卓命人把降卒有的挖掉眼睛，有的剁去手臂，还有的用大锅煮了，百官都惊恐万分。有一天，董卓在相府大宴百官，吕布在他耳边说了几句话，董卓说司空张温勾结袁术，图谋不轨，拖下去砍了头。百官吓得魂不附体。

　　司徒王允回到府中，坐立不安，拄杖来到后园，独自落泪。忽然听到女子的叹息声，他一看，原来是歌伎貂蝉，问她为何叹息。貂蝉说："我蒙大人恩养，练习歌舞，我虽粉身碎骨，难报万一。近来见大人愁眉紧锁，必有大事发生，又不敢问。今晚又见大人坐立不安，因此长叹。如果大人有用我之处，万死不辞！"王允见貂蝉美如天仙，心生一计，便请貂蝉救天下百姓，貂蝉答应，立誓绝不泄露秘密。

王允做了一顶金冠，派人秘密送给吕布。吕布大喜，来王允府上道谢，王允设宴，把吕布捧为天下第一英雄。吕布很是高兴。王允唤出貂蝉，说："这是我女儿貂蝉，因与将军交情深厚，没把将军当外人，就让她来见见将军。"吕布请貂蝉坐下，貂蝉挨着吕布坐下，吕布目不转睛地看着貂蝉（神态描写，表现吕布对美色的痴迷）。王允说要把貂蝉许配给他，吕布喜出望外，连连拜谢。王允说："本想留将军在这儿住下，害怕太师怀疑。"吕布再三拜谢而去。过了几天，王允在朝堂见了董卓，趁吕布不在，跪下说："我想请太师到我家赴宴，不知可不可以？"董卓说："司徒相请，我如何不去。"第二天晌午，董卓来到王允家里，王允跪迎，夸赞董卓德高望重，董卓大喜。喝到高兴的时候，王允请董卓入后堂，劝董卓称帝，董卓大笑说："如果我当皇帝，你就是开国功臣。"王允拜谢。

王允召来貂蝉，董卓见貂蝉姿色美丽，便问："这位女子是谁？"王允说："歌伎貂蝉。"董卓又问："多大了？"貂蝉说："今年十六岁。"董卓笑着说："真是个天仙人物呀！"王允要把貂蝉献给董卓，董卓大喜，再三称谢。王允亲自备车，把貂蝉送到董卓府上。

在回来的路上遇到吕布，吕布质问王允为什么把貂蝉送给了董卓。王允说是董卓强抢了他女儿，说是要把貂蝉带走，让她今天跟吕布成亲，自己不敢阻拦，只好让董卓带走。吕布忙回相府去找貂蝉。

　　吕布听说董卓跟貂蝉同床共寝，不由大怒。到后房去找貂蝉，貂蝉一见吕布来了，故意皱眉装作不快，假装用手帕拭泪。吕布更加生气，却也没办法。一天，董卓突然生病，貂蝉在床前伺候他，吕布前来探病，貂蝉就在床后跟吕布眉来眼去，董卓看到吕布的表情，不由大怒，命人把吕布赶了出去。吕布愤恨，在路上遇到李儒，告诉了李儒。李儒急忙面见董卓说："太师想要取天下，为何因为小错误就责备吕布？他要是变心就坏事了。"董卓说："那怎么办？"李儒说："多给他些金帛，好言劝慰一下，自然无事。"董卓唤来吕布，说昨天病中精神恍惚，出言不慎，请不要放在心上。并赐他黄金十斤。吕布谢了恩，一颗心仍在貂蝉身上。

　　董卓上朝跟献帝议事，吕布乘机来相府找貂蝉，二人在凤仪亭互诉爱慕之情。董卓回头不见了吕布，慌忙回府，见吕布正和貂蝉在凤仪亭中搂搂抱抱，大怒，跑了过去。吕布慌忙逃走，董卓抓过吕布的戟，在后面向吕布投了过来。董卓追赶到园门，遇到李儒。李儒忙问是怎么回事。董卓说是吕布调戏貂蝉，一定要杀了吕布。李儒说："不应该为了一个女子而失去心腹大将。不如把貂蝉赐给吕布，吕布必然以死相报太师。"董卓答应考虑。

　　貂蝉说宁死要服侍董卓，绝不嫁吕布，说着假装要拔剑自杀。董卓忙赔笑说："我跟你开玩笑呢。"貂蝉在董卓怀里撒娇，董卓就把她带到郿坞去了。第二天，李儒来见董卓，说今天可让貂蝉跟吕布成亲，董卓却不想把貂蝉赐给吕布。李儒劝他不要为一个女子误了大事，董卓说："你舍得把你妻子送人吗？再说我就杀你（语言描写，刻画董卓的自私）！"李儒出来后，长叹一声说："我们都要死在这个女人身上了！"

董卓带上貂蝉回郿坞，吕布望着远去的车辆叹气。王允问吕布为何叹气，吕布说："我是为你的女儿叹气。"王允假装吃惊，问："太师还没让你们成亲？"吕布说："老贼自己霸占了。"王允把吕布请回家里，乘机激起吕布的怒火，吕布发誓要杀董卓。王允假装害怕，吕布当即滴血为誓。王允叮嘱吕布一定要严守秘密，依计行事。王允请来士孙瑞和黄琬，商议刺杀董卓，士孙瑞建议让李肃去骗董卓回长安。

李肃对董卓说："天子要把皇位禅让给太师，请太师速回长安。"董卓大喜，当夜就要回长安。他母亲说："我这几天心神不宁，怕有祸事发生。"董卓说："你马上就是国母了，这是先兆。"他又对貂蝉说："我当了皇上，一定封你做贵妃。"貂蝉假装欢喜。董卓回到长安，百官迎出城，只有李儒没来。吕布来见董卓，董卓说："我当了天子，就封你为大都督。"董卓和李肃同行，到了北门，董卓见王允等人都拿着剑站在殿门外，就问李肃："他们拿剑干什么？"李肃直接跑了。王允大声喊道："诛杀反贼呀！"一百多人杀向董卓，董卓急忙大叫："我儿奉先在哪里？"吕布赶过来，一戟刺中董卓咽喉，李肃一剑割下了董卓的脑袋，又把董卓的尸体在大街上示众。董卓长得肥胖，守尸的士兵就把灯芯放在董卓的肚脐中，点上火，烧得满地流油。

## 成长启示

　　王允满怀喜悦回府，故人陈宫已等候多时。他道出了王允的连环计，并指出吕布勇绝天下，可以为智者所用。席间，王陈二人对吕布晓以大义，申明利害。吕布指天发誓，要为天下除掉董贼。王允的爱国、陈宫的智谋、吕布的勇猛合在一起，也就注定了董卓的败亡。所以说，不管一个人的力量大小，只要是跟大家同心协力，个人就能发挥更大的作用，众人合谋合力才可以成就一番事业。

## 要点思考

　　1. 司徒王允用什么计策骗了吕布和董卓？
　　2. 董卓是怎么死的？

## 写作积累

　　●魂不附体　坐立不安
　　●貂蝉说："我蒙大人恩养，练习歌舞，我虽粉身碎骨，难报万一。近来见大人愁眉紧锁，必有大事发生，又不敢问。今晚又见大人坐立不安，因此长叹。如果大人有用我之处，万死不辞！"

# 第六回　陶谦让徐州城

**导读**

曹操哀兵出师，亲率大军征讨徐州。陶谦披麻戴孝率子请罪，曹操对其毫不动容，声称三日后拿下徐州。曹操与陶谦究竟有什么样的仇恨？陶谦又要把徐州城让给谁呢？

董卓死后，长安大乱。董卓部将被王允逼得无路可走，于是起兵反抗，杀死王允，逼走吕布。董卓部将李傕、郭汜听从谋士贾诩的劝谏，安抚百姓，朝廷稍微有些生机。可是青州黄巾又起叛乱，朱隽保举曹操领兵破黄巾。

曹操没用百天就平定了黄巾，收降卒三十万人，曹操拣精锐的士卒组成了青州兵。曹操驻军兖州，开始招贤纳士。没过多久，就有荀彧（yù）、荀攸（yōu）叔侄来投，又来了程昱和郭嘉。后来刘晔、满宠、吕虔、毛玠、于禁、典韦纷纷来投。曹操兵强马壮，就派人到琅玡郡（今山东莒县。琅琊，láng yá）**去接他父亲曹嵩。**

　　曹嵩接到书信，就领着一家百余口投奔兖州，路过徐州，徐州太守陶谦，字恭祖，正想讨好曹操，派都尉张闿（kǎi）引五百兵护送。半路上遇到大雨，一行人就找了个古寺休息。曹嵩让人整理行李，却被张闿看到车里装的金银珠宝。张闿与手下商议，当夜一齐动手，杀死了曹嵩一家，抢了财物，放火把古寺烧了。

　　曹操得知消息，哭得昏天昏地，醒后咬牙切齿要洗荡徐州，就领夏侯惇、于禁、典韦率军杀往徐州，所过之处，杀得鸡犬不留（刻画了曹操的凶残）。陶谦听说，仰天大哭。陶谦回城要亲自到曹营谢罪，以救全城百姓，糜（mí）竺建议到北海请孔融救援。

　　北海太守孔融，字文举，是孔子的二十世孙，使者向孔融求救。孔融说："我和陶谦是朋友，我和曹操也没冤仇，先给你们从中讲和吧。"

　　正商议间，下属来报，黄巾军管亥把北海城团团围住，孔融无法可想。孔融帐下有一人名叫太史慈，为报孔融照顾老母之恩，单枪匹马杀出重围，前去请救兵。太史慈来到平原，同刘备说明情况，刘备就与关、张直奔北海。关羽劈死管亥，孔融从城里杀出来，两下夹攻，黄巾军大败。孔融请刘备同去救徐州，刘备先去找公孙瓒借兵，又借来赵云，来到徐州。曹操见来了军马，也不敢再攻城。刘备怕城中缺粮，就与张飞领一千人杀进曹营。于禁出马，被张飞杀得大败。陶谦见了旗号，开城迎接刘备。陶谦一面

31

设宴款待刘备，一面犒劳军士。忽然，陶谦捧出徐州大印，要把徐州让给刘备，刘备认为此时若接受印信，害怕天下人耻笑，扭扭捏捏推辞不受。陶谦却是真心实意，左说右劝，刘备一味假装推辞。糜竺说："先退了曹兵再说这件事吧。"刘备派人给曹操送信，从中讲和，让曹操退兵。曹操却认为刘备在讽刺他，准备竭力攻城。郭嘉劝道："主公先好言回答，让刘备不加戒备，然后再攻城。"曹操与众人正商量如何给刘备回信，探子快马来报，说吕布攻占了濮阳，断了曹操后路。曹操害怕无处可归，郭嘉说："我们现在正好退兵，就算卖个面子给刘备。"

陶谦见曹操退兵了，把刘备等人请进城，盛筵款待。之后，陶谦又请刘备上坐，再次要把徐州让给刘备。众人一齐劝说，关羽、张飞也认为刘备应该接受，刘备认为现在接受徐州，乘人之危，人心不服，便假意推脱。陶谦没有办法，就把小沛让给刘备驻守。赵云要告辞，刘备拉着赵云的手，很长时间都不放开（为后文赵云投奔刘备埋下伏笔）。

曹操回兵救援，吕布自大不听劝告，曹操把失地又都收复回来了。吕布死战逃脱，折了许多人马，退回城中坚守不出，曹兵无粮，也退回城中，双方暂时罢兵。

陶谦已六十三岁了，身体多病，就请糜竺、陈登议事。为了保护徐州百姓，陶谦决定把徐州让给刘备，刘备不受。陶谦第三次提出要让徐州，刘备问你为什么不传给你的儿子呢？陶谦说自己的儿子不能担当重任。刘备仍是假意推辞。陶谦以手指心而死，众军举哀，百姓痛哭。糜竺给刘备送去印信，刘备仍不接受。第二天，麋竺又去，关、张也让他接受，刘备觉得时机成熟了，就高兴地答应了。

曹操得报大怒，说："我要先杀死刘备，再鞭打陶谦的尸体！"就要下令再次攻打徐州。荀彧劝道："若再打不开徐州，吕布又来犯，主公就真的无家可归了。现在不如前往陈地，先消灭了黄巾军夺得军粮再说。"曹操同意了，亲自领大军先到陈地，再去汝南、颍州。

曹操打败黄巾军，又得了猛将许褚，就班师回鄄城，又乘得胜之师，夺回了兖州，进军濮阳。吕布要迎战，陈宫建议待众将到齐后再出战。吕布说："我怕谁？"出马大战许褚、典韦。二人不能打败吕布，夏侯惇、夏侯渊、李典、乐进一齐杀过来。吕布架不住人多，只好败回，却见内奸田氏已关上城门，说："我已投了曹公了！"吕布只好落荒而逃。陈宫保住吕布家属也逃出来，山东全境都被曹操占领了。

吕布聚集众将，要再跟曹操决战。陈宫劝吕布先找地方安身，吕布要再投袁绍，陈宫让派人先探听袁绍的意图。袁绍得知吕布与曹操大战，就派颜良率兵去助曹操。陈宫提议不如到徐州去投刘备，吕布就到徐州来了。刘备认为要不是吕布袭兖州，曹操就不会撤兵，便收留了吕布。

---

**成长启示**

　　曹操正准备全军攻城。突然吕布率兵攻克他的根据地兖州！无奈之下，曹操只得给刘备顺水推舟卖个人情，撤军言和。陶谦大喜，以徐州相让，被刘备婉拒，只恳请驻兵小沛，陶谦父子感动不已。曹操的才能、吕布的勇猛、陶谦的声望和刘备的仁慈都让人佩服，从他们身上可以看出每个人都拥有不同的智慧及无可限量的潜能，当大家对此有所了解，并同心协力加以开发时，就能为社会带来繁荣。可惜在当时那个年代，这是不能实现的。

### 要点思考

1. 曹操为什么要攻打徐州城？
2. 陶谦为什么要把徐州城拱手相让？

### 写作积累

●劝谏　招贤纳士　扭扭捏捏

●忽然，陶谦捧出徐州大印，要把徐州让给刘备，刘备认为此时若接受印信，害怕天下人耻笑，扭扭捏捏推辞不受。

# 第七回　辕门射戟

**导读**

刘备引兵登城，准备与纪灵决一死战。突然得知吕布在五里坡设宴邀请，于是刘备领关、张一同前往。在酒席上，刘备惊讶地发现吕布也邀请了纪灵前来。吕布与刘备、纪灵二人约定，若是他射中辕门下方天画戟的小枝，则二人握手言和。那么，吕布到底射中了没有？

这边刘备与吕布刚联合，那孙策也因为依附袁术立了不少功劳，深受袁术的喜爱。谋士为孙策出主意，让他用玉玺做抵押，同袁术借兵。袁术早就想当皇帝了，用三千精兵换了玉玺，孙策就领着程普、黄盖、韩当进军江东。路上收了周瑜、张昭、张纮（hóng），在扬州又收了太史慈、陈武，从此孙策得了个"小霸王"的美名。孙策又剿灭了严白虎和王朗，坐稳了江东，就写表奏明朝廷，一面派人结交曹操，一面找袁术要玉玺。

袁术当然不肯还玉玺了，就聚集手下文武商议，要讨伐孙策。袁术的谋士说孙策有长江天险，不如先消灭了刘备，就献上离间吕布和刘备的计策。袁术同意，派人送粮食给吕布。吕布收了粮食，表示不会援助刘备。袁术就率数万大军进攻小沛，孙乾向吕布求援，刘备也写书信向吕布求救。吕布是左右为难，不救刘备，怕袁术胜利了再攻打他，救刘备，又收了袁术的好处。最后决定还是救刘备。吕布安营后，派人请来纪灵 (袁术手下大将)、刘备，从中调解。纪灵不愿和，刘备想和，又不知吕布如何说服纪灵。吕布让士兵把他的方天画戟立在辕门前，他站在一百五十步之外，说："辕门离这一百五十步，我若一箭射中戟，你两家罢兵，如射不中，你们各自回营，安排厮杀，我不再过问。"纪灵见离这么远，肯定难射中那么小的戟的小枝，就答应了，刘备暗中祈祷："保佑他射得中！"吕布引弓搭箭，一箭正射中戟的小枝，全军喝彩。吕布拉着纪灵和刘备的手，回到帐中各敬一杯酒，表示讲和。纪灵没办法只好收兵，刘备谢了吕布也回兵小沛。

纪灵给袁术说了辕门射戟的事，袁术大怒，要亲自去讨伐刘备和吕布。纪灵建议让袁术和吕布结成亲家，吕布必杀刘备。于是袁术派人带上礼物向吕布求亲，吕布同意了亲事，连夜赶做嫁妆，派宋宪、魏续护送女儿出城。陈珪得知是吕布嫁女，去为吕布吊丧。吕布忙问为什么，陈珪说你辕门射戟救下刘备，袁术怀恨在心，他来求亲，其实是把你的女儿当作人质，让你去杀刘备。吕布派张辽把女儿追回，派人告诉袁术，说是嫁妆还没办齐，办好后再成亲。

没过多长时间，宋宪报称，他们买回的好马被张飞抢走一半。吕布大怒，到小沛问刘备，为什么抢夺他的马匹。刘备没出声，张飞说："我夺了你的马，怎么着了？"吕布挺戟跟张飞大战，刘备分开二人，派人向吕布赔礼，情愿送还马匹，请吕布退兵。吕布想答应，陈宫建议要趁此机会杀了刘备，刘备只好跑到许昌来投奔曹操。曹操接待了刘备，与刘备共同对付吕布。曹操的谋士建议应该趁机杀掉刘备。郭嘉认为杀了刘备会使天下豪杰不敢来奔，曹操听了，就想推荐刘备为豫州牧（侧面描写，突出曹操爱惜人才的特点），让刘备进军小沛，准备合兵进攻吕布。

　　曹操正想东征，听探子来报，说是张绣准备进攻许昌，夺回皇帝。曹操一面许给吕布很多好处，一面亲率大军征讨宛城。贾诩见曹兵势大，就劝张绣投降。张绣听从贾诩的建议，投降曹操。曹操想把贾诩收到自己手下，贾诩不从。张绣把曹操请进宛城，天天设宴款待。这天，曹操喝得大醉，想找女人玩乐，他侄子曹安民找来张绣的婶子邹氏。张绣得知，大骂曹操，贾诩就为张绣出了个主意。第二天，张绣去见曹操，说是士兵逃亡很多，他要加强巡逻，曹操就答应了。到了夜晚，曹操听见外面杀声四起，忙喊典韦。典韦爬起来，发现兵器被偷走了，没有了兵器，就抓过一把刀厮杀，被胡车儿从背后刺中一枪杀死了。曹安民也被乱兵剁成肉泥，曹操的马中了箭倒地死了，他的大儿子曹昂把马让给他，自己却被乱箭射死。

　　曹操兵败回许昌后，就请皇帝加封吕布为平东将军，吕布得知后非常高兴。袁术派人来催亲，吕布杀了来使，派陈登去许昌，请封徐州牧。袁术建造宫殿，自立为皇帝。他听说吕布杀了他的使臣，就统领二十万军马，兵分七路，讨伐吕布。吕布得到消息，忙召谋士计议。陈登建议一面派人联络刘备、曹操，一面前去说降韩暹（xiān）、杨奉，韩遑表示愿和杨奉背叛袁术。吕布见说降袁术两路人马，就兵分五路迎敌。当夜二更，吕布率军杀进敌寨，袁术大败。

袁术找孙策借兵，孙策不同意，还要讨伐袁术，袁术大怒，准备先讨伐孙策，被谋士劝止了。孙策害怕袁术攻打，一面准备防御，一面写书信与曹操，请曹操发兵，互相呼应。

## 成长启示

吕布为了阻止袁术攻打刘备，使用了一个小小的计谋，以他精湛的箭法平息了一场战争。其实吕布就是想要给袁术一个下马威，告诉他要动刘备就先过他这关，对袁术这种蠢材规劝是没有用的，只能武力威慑。可惜吕布忘了，人最不能受伤的就是感情与自尊，人最脆弱的也是感情与自尊。这也就注定了他后来丧命的悲剧。

## 要点思考

1. 吕布为什么要进行辕门射戟？
2. 曹操招降张绣为什么会失败？

# 第八回 吕布丧命

**导读**　陈宫建议吕布率铁骑屯于城外，与城内吕布军互成掎角之势，前后袭击可退曹军。可吕布却听从了貂蝉的建议，躲在城中闭门不出。混乱之际，又痛打了几位偏将，至此军心大乱。吕布有没有能力渡过这一关呢？

　　曹操回到许昌，安抚了典韦的家小。没过多久，又准备出兵攻打袁术。曹操下了死令："三天内攻破寿春！"他亲自来到城下，众将士受鼓舞，个个奋勇争先，攻进城里。曹操命令把城中的财物都没收，但没有找到袁术。正要准备追击袁术，探子来报，说张绣再次起兵，曹仁连败了好几仗。曹操急忙回到许昌，准备再次发兵征讨张绣。

　　建安三年四月，正值麦子成熟。百姓们听说曹操大兵路过，都逃跑了。曹操传下命令，军队不得践踏麦田，违者一律杀头。这天，曹操正走着，麦地里突然飞起一只斑鸠，曹操骑的马受到惊吓，窜进了麦田里。曹操就让军法官治自己践踏麦田的罪，按军法当斩。大家苦苦哀求，曹操就割下了头发，代替自己的人头（动作描写，突出了曹操军纪严明，以身作则），三军将士无不小心谨慎，严守军令。

张绣见曹操兵到，闭门不战。曹操命部下猛攻西北角，却被贾诩看穿了他的阴谋，张绣命令老百姓假装士兵，防守西北角，却在东南角埋伏了大军。当天夜里，曹兵果然从东南角爬进城，忽然伏兵杀出，把曹操杀得大败而逃，张绣领兵追杀，刘表也领兵支援张绣。曹操大败，退回许昌。

没过多长时间，曹操又要进攻袁绍，郭嘉建议他先扫除吕布和袁术，除掉后患，然后再讨伐袁绍。曹操于是约定刘备一起对付吕布，同时封袁绍为大将军，支持他进攻公孙瓒。

吕布每次宴会宾客，陈珪父子都在鼓吹吕布的功劳。陈宫认为他们心怀叵测（指存心险恶，不可推测。叵，pǒ），让吕布小心提防他们。吕布反而责怪陈宫陷害好人，陈宫想离开吕布另投明主，又怕受人耻笑，整天闷闷不乐。一天打猎时，撞见一人飞马狂奔，就把那人抓住，从他身上搜出曹操给刘备的密信，就让人送给吕布。吕布大怒，杀了曹操的使者，命高顺、张辽进攻刘备。

刘备听说吕布派人来攻打他，就向曹操求援。高顺兵临城下，多次挑战，刘备坚守不出。曹操接到刘备的书信，和众人商议，大家都认为吕布刚刚叛变，应该趁机消灭他。曹操就派夏侯惇、夏侯渊等人领兵五万先行，自己率领大军接应。

吕布得报，就派人援助高顺去迎战曹军。夏侯惇正领兵前行，不想碰见了高顺，两人战了四五十回合，高顺败了下来，夏侯惇拍马猛追高顺。没想到高顺军中的曹性引弓搭箭射中夏侯惇的左眼。夏侯惇疼痛难忍，只能停下马，把左眼上的箭拔下来，连左眼珠也给带了出来，大呼说："父精母血，不可弃也！"就把眼珠吞吃了，然后拍马直奔曹性去了，一枪就把曹性给刺死了。高顺从背后赶来，指挥大军齐上，夏侯惇难以支持，只好退兵。高顺乘势一番追杀，曹军大败。高顺正好会合吕布、张辽二人，然后分兵攻打刘备。

关羽、张飞二人出寨迎敌，与高顺、张辽战在一起。不料吕布从背后杀来，关、张二人败逃，吕布乘势冲进城内，刘备只好领着剩下的人逃出西门。吕布没有加害刘备的家人，让糜竺保护她们住进徐州（侧面描写，刻画了吕布的假慈悲）。然后留高顺、张辽二人守着小沛，自己领兵前去攻打兖州。

刘备逃出去后，就去投奔曹操，见了曹操，刘备哭诉了兵败的经过。曹操命曹仁领兵攻打小沛，他与刘备前往山东去战吕布。吕布也没想到，在他手下的陈登暗中投靠了曹操。曹兵来到萧关，陈登与他父亲商量后去见吕布，建议吕布与他领兵去救萧关，吕布答应了。陈登来到萧关，骗陈宫说，吕布要责罚他们。当天夜里，陈登写了三封密信，射下关去，等在关下的曹兵拿着信跑回了曹营。

第二天，他又去见吕布，说陈宫要除掉山贼，让吕布接应。吕布让他对陈宫说，夜间举火为号，一起消灭山贼。陈登见到了陈宫，却说吕布让他们撤军回徐州。陈宫就领着队伍离开了萧关，陈登在城上点起了火，吕布就截住陈宫的队伍，开始自相残杀。这时，等候在一边的曹兵见到信号，也乘势攻击。一直杀到天明，吕布才知道上当了，忙和陈宫退兵徐州。

吕布来到城下，没想到陈登那贼子早已把城献给了关羽和张飞。一阵冲杀，吕布人困马乏，被他们杀败，只好退守下邳。曹操来到城下，让吕布立即投降。陈宫一箭射中曹操的伞盖，大骂："曹操奸贼！"曹操大怒，就领兵攻城。陈宫提议吕布带兵到城外驻扎，互为掎角，只要坚持半月，等到曹兵粮尽，就可击破曹操。吕布回家后被妻子严氏阻拦，犹豫不决（细节描写，突出了吕布优柔寡断的性格）。陈宫来催，严氏和貂蝉在吕布面前哭哭啼啼。陈宫仰天长叹："我们都死无葬身之地了！"

吕布也不出门，整天和妻妾饮酒作乐。直到一天，他从镜子里看到自己面容憔悴，就传令再敢喝酒的立即斩首。侯成因为一件小事被吕布责罚，众将都很气愤，对吕布只恋着妻妾，不顾大家死活大为不满。当天夜里，侯成盗出吕布的赤兔马，献给了曹操，并约定以白旗为号，开门献城。

天刚亮，曹操指挥人马攻城。吕布登城巡视一遍，又要治魏续的罪。宋宪在城头插上白旗，曹兵进攻得更加猛烈了。中午时分，曹兵稍退，吕布来到白门楼，坐在椅子上休息，不一会儿就睡着了。宋、魏二人让吕布的亲信退下，把吕布连椅子一起牢牢捆住，然后摇动白旗，大开城门，夏侯惇带兵冲进城内，张辽、高顺、陈宫等人都被活捉。

曹操劝降众人，高顺一声不吭，曹操就把他斩了。曹操想跟陈宫套交情，招来陈宫一顿大骂，陈宫昂然下楼，从容就刑。吕布哀求刘备为他求情，刘备点点头。吕布对曹操说愿降，曹操大为心动。就问刘备怎么样，刘备说："你忘了丁原和董卓的下场了吗?"吕布大骂："你这个大耳朵贼最不讲信义!"曹操命人把吕布推下去，吕布回头对刘备说："大耳贼，你不记得辕门射戟了吗?"后面的张辽大骂："吕布匹夫! 死就死了，有什么好怕的?"曹操命人将吕布杀了，转身要杀张辽，关羽为张辽求情。曹操为张辽松绑，张辽就投降了曹操。

## 成长启示

　　吕布哀求刘备为他求情，刘备不动声色。然后曹操上白门楼后也不知道是不是该把吕布纳为己用，转而问刘备应该怎么办，刘备说："你忘了丁原和董卓的下场了吗?"曹操顿时醒悟。刘备的意思很简单，就是说不讲忠义的人是不可用的。

## 要点思考

　　1.曹操为什么会割发代首?

　　2.吕布为什么会命丧白门楼?

## 写作积累

　　●奋勇争先　心怀叵测

# 第九回　煮酒论英雄

**导读**

曹操力邀刘备同返许昌觐见天子，以求赐爵封侯。抵达许昌之后，刘备与汉献帝顿觉亲情无限，刘备荣升左将军、宜城亭侯。忽然听闻曹操邀请他前去饮酒，究竟发生了什么事呢？

吕布死后，刘备跟曹操返回许昌，见了天子，天子问刘备："你祖上是何人？"刘备说："我是中山靖王刘胜之后。"天子心想，要是有这样英雄的叔父，就不怕曹操弄权了。就请刘备到偏殿，按叔侄辈分行礼，称刘备为"皇叔"。

曹操的谋士建议要趁早除去刘备。曹操却说把刘备留在许昌，就是要掌握他。有一天，曹操请天子打猎，天子本不愿去，因害怕曹操，只好跟他去许田打猎。刘、关、张也跟着去了。看到一只野兔，天子连射三箭都没射中，曹操就要过天子的宝雕弓，金铍 (pī) 箭，一箭就射中了。

士兵以为是天子射中的，齐呼万岁（动作描写，突出曹操的嚣张跋扈）。曹操欣然接受，关羽大怒，要杀死曹操。被刘备制止了，刘备回头对曹操说："丞相神箭，世上无人能及。"曹操笑着说："这是托天子的洪福。"竟然不把宝雕弓归还天子，而是带在自己身上。

回到许昌，关羽责问刘备为什么不让杀曹操。刘备说："我们秘密图谋就行了，千万别乱说。"献帝回宫后痛哭，伏皇后建议自己的父亲伏完和国舅董承除掉国贼。天子就用血写一道密诏，让伏皇后缝在玉带里。

董承得到天子血写的讨贼密诏，看后痛哭流涕，一夜未眠。第二天，侍郎王子服知道了血诏，表示愿意共诛国贼。董承连声称谢，王子服又推荐将军吴子兰、长水校尉种辑、议郎吴硕，大家都在白绢上写上自己的名字。后来西凉太守马腾也加入进来，马腾又推荐了刘备。

刘备自加入后，怕被曹操看破，就在后园开一菜圃（pǔ），每天浇水种菜。关羽责怪他不关心国事，刘备也不说明。一天，许褚、张辽赶来说："丞相有命令，请使君马上过去。"刘备吓了一跳，问："有什么要紧事吗？"许褚说："不知道，只是让我们来请你。"刘备只好来到相府，曹操笑着说："你在家里干得好大的事呀！"吓得刘备面如土色，曹操却拉着他的手，来到后园，说："你学种菜也很不容易。"刘备放下心来，说："无所事事，不过是消磨时光罢了。"曹操说："刚才见梅树枝头的梅子都青了，不由想起去年征张绣的时候，路上缺水，将士都渴得不得了。我想到了个主意，用鞭虚指着前面说：'前面有梅林。'全军将士听后，口中生津，于是不再叫渴。今天见了这青梅，不能不赞赏。正好煮的酒也熟了，所以请使君来小亭喝一杯。"刘备这才定下心了。随曹操来到小亭，里面早已摆好了酒席，盘中放着青梅，还有一壶煮好的酒。二人面对面坐下，开怀畅饮。

正喝得高兴，忽然阴云密布，大雨将下（环境描写，为下文论英雄做铺垫）。随从的人指着天边说那云像条龙，曹操与刘备扶着栏杆观看。曹操说："使君知道龙的变化吗?"刘备说："我知道得不详细。"曹操说："龙能大能小，能升能隐；大则兴云吐雾，小则隐介藏形；升则飞腾于宇宙之间，隐则潜伏于波涛之内。现在已到晚春时节，龙也随着时节而变化，就像人得志了而纵横四海。龙之为物，可比世之英雄。你长时间在四方奔走，必然知道当今谁是英雄，请说说看。"刘备说："我肉眼凡胎安能认识英雄?"曹操说："不要谦虚了。"刘备说："我现在在朝中做官，天下的英雄，有很多都不认识。"曹操说："就算没见过他们的面貌，也该听说过他们的名字吧。"刘备说："淮南的袁术，兵粮足备，可当为英雄?"曹操笑着说："只是一把坟中的骨头罢了，我早晚必擒他!"刘备说："河北的袁绍，四世三公，门生故吏很多；现在虎踞冀州之地，部下也有很多有才能的人，可当得起英雄?"曹操笑着说："袁绍色厉胆薄（外表强硬而内心怯懦），好谋略却不会做决定；想干大事又爱惜自己，见到一些蝇头小利就不要命，不是英雄啊。"刘备说："有一个人名叫刘表，人称八俊，威镇九州。刘表可为英雄?"曹操说："刘表名不符实，不是英雄。"刘备说："孙策血气方刚，是江东的领袖，可以称英雄吧?"曹操说："孙策凭借他父亲的名声，不是英雄。"刘备说："益州的刘璋，可是英雄?"曹操说："刘璋虽然是皇室宗亲，不过是看家的一条狗，如何称得上英雄?"刘备说："像张绣、张鲁、韩遂这些人如何?"曹操拍着巴掌大笑说："这些都是碌碌小人，何足挂齿!"刘备说："除了这些之外，我就不知道了。"曹操说："英雄就是胸怀大志，腹有良谋，有包藏宇宙之机，吞吐天地之志的人。"刘备问："谁能称为英雄?"曹操用手先指刘备，后指自己，说："当今天下英雄，只有你和我!"刘备听了这话，吃了一惊，手中的筷子不觉落在地上。正好大雨将下，雷声大作。刘备从容地拾起筷子说："这雷的威力真大呀。"曹操笑着说："大丈夫也怕雷吗?"刘备说："圣人遇到刮风打雷都要改变脸色，我岂能不怕?"将听说曹操那句话而吓得掉筷子的事轻轻掩饰过去。曹操于是不再<u>怀疑刘备</u>。

　　曹操听说袁绍打败了公孙瓒，就给刘备五万人马守徐州，关羽和张飞纳闷刘备为何要如此匆忙地离开。刘备说："我现在就像鱼入大海，鸟上青天，不再受牢笼的束缚了!"郭嘉回来后，忙见曹操，建议他把刘备杀掉，不能放虎归山，留有祸患。曹操心想：我还有人在他那里监视他，怕他什么? 就不再追赶。

┌─ **成长启示** ─────────────────────────

　　曹操的措辞是何等张扬，"我必擒之""非英雄""何足为英雄"

等。而刘备好似隐龙，因为时机没到，羽翼未丰，还要借助他人的力量，在谈吐中步步后退，在危急时刻又能急中生智，巧渡难关，不愧是曹操所指的英雄。刘备能做大事，策划大动作，谨慎缜密，耐力很强。而曹操豪爽进取，竞争力强，敢作敢为，亦有大将之风。

## 要点思考

1. 皇帝认刘备为"皇叔"是为了什么？
2. 曹操是怎样评价天下英雄的？

## 写作积累

●曹操说："龙能大能小，能升能隐；大则兴云吐雾，小则隐介藏形；升则飞腾于宇宙之间，隐则潜伏于波涛之内。现在已到晚春时节，龙也随着时节而变化，就像人得志了而纵横四海。龙之为物，可比世之英雄。你长时间在四方奔走，必然知道当今谁是英雄，请说说看。"

# 第十回　千里走单骑

**导读**

关羽得到刘备手书后，立刻求见曹操，曹操竟在相府门前悬挂"回避牌"。关羽再访张辽，也被推辞不见。关羽决定回府收拾行囊，禀报二位嫂嫂，挂印封金而去。关羽能不能顺利地离开呢？

刘备到了徐州，派人打探袁术的情况，却不想袁术吐血而死。就让曹操的人返回许昌，自己留下守徐州。曹操大怒，荀彧献计让徐州刺史车胄暗害刘备。陈登得到消息，又背叛了曹操，出城见关、张，告知此事，关羽用计杀了车胄。刘备害怕曹操来攻，听信陈登的建议投靠袁绍。

刘备让关羽护着自己的二位夫人住在下邳，自己与张飞守小沛。曹操准备亲征刘备，孔融劝他先招安张绣、刘表。曹操就派人去劝降二人，张绣与贾诩来许昌投降曹操，刘表拒绝了。

曹操点起二十万人马，兵分五路进攻徐州，刘备就写书信向袁绍求救。曹操命人马分为九队，布下八面埋伏。刘备中计，慌忙撤兵，刘备的兵原是曹操手下，都投降了。张飞冲出重围，逃向芒砀山。刘备冲出重围，见小沛城中火光冲天，就往河北逃去（动作描写，为关羽千里走单骑埋下伏笔）。

　　曹操与众谋士商议如何取下邳。荀彧说："关羽守此城，若不速取，怕袁绍夺去。"曹操说："我喜爱关羽是个人才，想收为部下，不如派人劝降。"郭嘉说："关羽必不肯降。"张辽说："我跟他有交情，我去。"

　　关羽等到天明，正准备再次冲杀，忽见张辽跑来，就问："你是来相斗的吗？"张辽说："我是想念老朋友了，特来看看你。"关羽又问："你是来劝降的吧？"张辽说："不是。当年你救我一命，我怎能不来救你？""你是来助我？""也不是。刘备和张飞不知下落，我特来告诉你。"关羽说："你还是来劝降的。你回去吧，我这就迎战！"

　　张辽听后大笑，说："你要死了，就有三条大罪，被天下人耻笑。"关羽问："我有哪三条罪？""第一，你与刘备桃园结义时，立誓同生共死。现在你战死了，刘备还活着，你不是违背了当年的誓言吗？第二，刘备把家属托付给你，你死了，让二位夫人依赖谁？第三，你武艺超群，却不思报效国家，怎么算是忠义？"

　　关羽愣了下，说："你让我怎么办？"张辽说："你不如降了曹公，一来可保全二位夫人，二来不背桃园之誓，三来可留有用之身以寻找刘备。好好想想吧。"关羽想了半晌，才说："我要与曹丞相约法三章，一是只降皇帝不降曹操；二是给二位嫂嫂发俸禄；三是一旦知道皇叔去向，不管千里万里都要走。丞相要是允许，我就降；不允，我宁可战死。"张辽回见曹操，曹操就答应了。第二天，曹操班师回许昌。引关羽见献帝，献帝封他为偏将军。曹操三日一小宴，五日一大宴。又把吕布的赤兔马送给了他，关羽连忙拜谢。

袁绍派大将颜良做先锋，进攻白马（今河南滑县东北），沮授说颜良心胸狭隘不可独担重任，袁绍不听。曹操就带五万士兵到白马，列成阵势。降将宋宪出马不出三回合，被颜良一刀杀死。魏续要报仇，一回合就被颜良劈死。徐晃战了二十回合，败回本阵。曹军无不胆寒，曹操只好收兵。曹操派人去请关羽，关羽提刀上马，直奔敌阵。颜良见他来到阵前，正想问话，没想到赤兔马快，早就到了面前。关羽手起一刀，颜良措手不及，被劈死在马下。关羽把颜良的人头献给了曹操，曹操称赞说："关将军真是神人！"关羽说："我这不算啥，我三弟张飞张翼德于百万军中取上将的人头，如囊中探物（就像从口袋里取东西）！"曹操大吃一惊，对众将说："你们见了张飞，可要小心。"怕他们忘了，又让他们把张飞的名字写在战袍衬里上。

曹操把关羽的功劳奏明献帝，献帝封关羽为汉寿亭侯。探子报："袁绍派大将文丑渡河。"没过多久，文丑兵到，张辽、徐晃赶上来，文丑一箭射落张辽的盔缨，再一箭射死他的战马。文丑要杀张辽，徐晃挥斧来救。文丑又杀回来，徐晃败退。文丑正追赶，迎面碰上关羽，战不三回合，便败下来，关羽马快，赶上去朝文丑脑后一刀，劈死了文丑。

曹操留下夏侯惇守官渡，自己班师回许昌，大宴百官，为关羽贺功。关羽班师回许昌，见了嫂嫂。甘夫人问："叔叔打听到皇叔的消息了吗？"关羽说："还没有。"二位夫人失声痛哭，说："想来皇叔已不在了。"正哭着，一个老军告诉夫人刘备在袁绍那里。

于禁把刘备在河北的消息告诉了曹操，曹操派张辽见关羽，探听关羽的意向。张辽见了关羽回报曹操说关羽要走，曹操说："我自有办法留他。"关羽去向曹操辞行。曹操挂上回避牌不见他。关羽一连去了几次相府，曹操都是避而不见。关羽去见张辽，张辽也托病不见。关羽就写一封书信，派人送往相府，并把曹操赏的金银和汉寿亭侯大印挂在堂上，护送两位嫂嫂的车仗（车舆和兵杖）直奔北门。

曹操正与谋士商议如何留下关羽，北门的守将报告说关羽已出城了，众人都很惊愕。将军蔡阳说："我领人马前去把他捉回来。"曹操却说："不忘故主，来去分明，是真正的大丈夫，你们应该以他为榜样。"不让蔡阳去赶。程昱建议杀了关羽，以免后患。曹操说："当时我许下诺言，怎可失信？"回头对张辽说："我敬佩他的作为，你可先请他停一下，我马上去给他送行。赠他路费战袍，作为纪念。"

关羽正走着，忽听张辽大喊："云长慢走。"关羽让夫人的车仗先走，他转身问："文远想追我吗？"张辽说："不是。丞相知兄远行，想来相送，特先使我请你停下，别无他意。"关羽说："就是丞相铁骑赶来，我也决一死战！"就立马桥上向后望去，见曹操引数十骑飞驰而来。曹操见关羽横刀立马在桥上，就让诸将勒住马，左右摆开。关羽见他们未带兵器，才放下心来。曹操问："云长为何匆匆就走？"关羽说："我曾禀过丞相，今故主在河北，不由我不离去。我几次向丞相辞行，不能参见，就修书告辞，封金挂印，请丞相别忘了当年的诺言。"曹操说："吾欲取信于天下，安肯有负前言。担心将军途中缺少银两，特来送些

盘缠。"曹操命人托一盘黄金送给关羽，关羽不收。曹操又让人捧出一领锦袍，笑着说："云长天下义士，恨吾福薄，不得相留。锦袍一领，略表寸心 (语言描写，点明曹操招揽人才的迫切之情)。"关羽不敢下马，用刀尖把袍挑过来，披在身上，拱手称谢："蒙丞相赐袍，他日再得相会。"下桥往北而去。许褚说："他太无礼了，为什么不抓住他？"曹操说："他只一个人，我们几十个人，他当然要有顾虑。吾言既出，不可追也。"

### 成长启示

　　曹操毅然决定率众将为关羽送行，并送黄金、锦袍。关羽大为感动，对曹操叩拜而去。此时的曹操才深感"忠义"二字的可贵。关羽的行为告诉我们，说出的话一定要算数，行动起来一定要坚决。一诺千金，敢作敢为，则受人尊重；出尔反尔，优柔寡断，会遭人鄙弃。

### 要点思考

　　1. 关羽为什么先投靠曹操，后来又离开他？

　　2. 听说关羽要离开，曹操是如何表现的？

# 第十一回 过五关斩六将

**导读**

关羽不辞而别，由于没有得到曹操的手谕，因此一路之上遭到了层层拦阻，但关羽凭借一己之力，过了五个曹操所辖的关隘。他是怎样过去的？发生了什么事情？

关羽赶了三十里，不见车仗，心下着慌，正四下寻找。忽听有人喊："关将军停下！"就见一个少年将军黄巾锦衣，持枪跨马，马颈下挂着一颗人头，跟着百余步兵，飞奔前来。关羽问："你是什么人？"那人弄枪下马，拜伏在地，说："吾本襄阳人，姓廖，名化，字元俭。因世乱流落江湖，聚众五百余人，劫掠为生。刚才同伴杜远下山巡哨，误将两位夫人劫掠上山。我得知是大汉刘皇叔的夫人，又听说将军护送在此，我即想送夫人下山来。杜远出言不逊，被我杀了。今献头与将军请罪。"关羽让他先把夫人送来。不多时，夫人的车仗来到，关羽下马请安，问明情况如廖化所说，就拜谢廖化。关羽谢绝廖化赠送金银，廖化与关羽拜别，引人投山谷中去了。

天晚时，关羽领车仗到一庄院投宿，老庄主迎出来，问："将军尊姓大名？"关羽说："我是刘玄德的兄弟关羽。"老人说："莫非是斩颜良、文丑的关羽吗？"关羽说："是。"老人大喜，忙把关羽车仗请进庄，盛情款待。关羽请教太公姓名，老人说："我姓胡名华，桓帝时曾为议郎。今有小儿胡班，在荥（xíng）阳太守王植部下为从事。将军若从此处经过，我有一书信要寄给小儿。"次日早饭后，请二位嫂嫂上车，关羽接了书信，与胡华道别，直奔洛阳（为下文胡班相救埋下伏笔）。

关羽来到东岭关，守将孔秀拦路，要看公文，关羽没有，孔秀想要扣押车仗，以二位夫人为人质。关羽大怒，举刀就杀孔秀。孔秀迎战，只一回合便被关羽杀死，众军慌忙奔逃。关羽喝叫："军士休走。我杀孔秀，不得已也，与你们没有关系。请你们转告曹丞相，就说孔秀杀我，我不得不杀了他。"

早有军士报知洛阳太守韩福，韩福得报，忙召集众将商议。牙将孟坦说："既无丞相文凭，即系私行，若不挡他，只怕丞相怪罪。"韩福说："关羽勇猛，颜良、文丑俱为所杀。今不可力敌，只需设计擒之。"孟坦就设诈败计。刚商议好，人报关羽车仗已到。韩福带着弓箭，引一千人马排列关口，盘问关羽："来者何人？"关羽在马上欠身说："吾汉寿亭侯关羽，来此借路。"韩福说："有曹丞相的文凭吗？"关羽说："事急不曾讨得。"韩福说："我奉丞相钧命，镇守此地，盘查往来奸细。若没有文凭，就是逃兵。"关羽大怒，说："东岭孔秀已被我杀了，你也想寻死吗？"韩福说："谁与我把他擒了？"孟坦出马，挥双刀来战关羽，关羽拍马迎战。战不几回合，孟坦拨马就走，关羽赶上，一刀砍为两段。韩福一箭射来，正中关羽左臂。关羽不顾血流如注，用牙拔出箭，飞马直奔韩福。韩福拨马想逃，被关羽一刀连头带肩砍下来，冲出洛阳。

关羽连夜走到汜水关。守将姓卞（biàn），名喜，善使流星锤；原是黄巾余党，后投曹操，拨来守关。明知自己不是关羽对手，就在关前镇国寺中埋伏下二百刀斧手，出关去迎接关羽。关羽见卞喜来迎，下马来见，卞喜说："将军名震天下，谁不敬仰！今归皇叔，足见忠义！"关羽跟卞喜说了斩孔秀、韩福之事。卞喜说："将军杀得对。我见了丞相，代你禀明缘由。"关羽甚喜，跟他进了汜水关，来到镇国寺。镇国寺内有个僧人法名普净，与关羽同乡，向关羽问讯，说："将军离蒲东几年了？"关羽说："将近二十年了。"普净说："还认得贫僧吗？"关羽说："离乡多年，不能相识。"普净说："贫僧家与将军家只隔一条河。"卞喜怕普净泄露秘密，就呵斥："我请关将军来赴宴，要你和尚来多嘴？"关羽说："我们是同乡，怎能不叙叙旧情？"普净请关羽到方丈吃茶，指着身上的戒刀，向关羽使眼色。关羽心领神会，命左右持刀紧随。卞喜请关羽到佛堂入席，关羽已看出埋伏的刀斧手，卞喜知阴谋泄露，忙叫下手！关羽拔剑，卞喜下堂绕廊而跑，关羽弃剑提刀赶上去。关羽紧赶几步，将他一刀劈死。关羽来谢普净："要不是师父示警，怕已遭此贼的毒手。"普净说："我也难在此地容身，后会有期，多多保重。"

荥阳太守王植与韩福是儿女亲家，听说关羽杀了韩福，定计暗害。关羽来到关前，王植笑脸相迎。把关羽一行安排在馆驿。关羽吃饱饭，才要卸甲稍歇。王植暗中命令从事胡班带一千人放火烧馆驿。胡班领人把柴堆在馆驿周围，见时间还早，就想偷看关羽是什么样子。胡班悄悄来到厅前，见关羽右手抄着长髯在灯下看书，失声叹道："真天人也！"关羽问："什么人？"胡班进厅拜下，说："荥阳太守部下从事胡班。"关羽说："莫非是许都城外胡华之子？"胡班说："是的。"关羽从行李中取出书信交付胡班。胡班看毕，长叹一声："险些误杀忠良！"遂密告关羽："王植心怀不仁，欲害将军，暗令人四面围住馆驿，约于三更放火。我先去开了城门，将军赶紧收拾出城。"关羽忙提刀上马，护送车仗到城门，胡班已开了城门，放出关羽。关羽行不几里，王植率人马赶来，拍马挺枪，直取关羽。被关羽拦腰一刀，砍为两段。

来到滑州界首，刘延领数十骑迎出城。关羽说明情况，刘延说："黄河渡口是夏侯惇的部将秦琪把守，怕不让你渡河。"关羽说："你找船送我过河好吗？"刘延说："只怕夏侯惇知道了要加罪于我。"关羽知刘延是无用的人，就催车仗来到渡口。秦琪领军拦住去路。关羽大怒，说："你没听说我一路杀了几个敢拦我的人吗？"秦琪说："你只杀得了无名下将，敢杀我吗？"关羽说："你比颜良、文丑还厉害？"秦琪大怒，纵马舞刀，直取关羽。关羽刀起，秦琪头落。关羽喝叫："士兵不必惊慌，快备船送我过河。"军士撑船靠岸，关羽护车仗上船。他一路上过了五关，斩了六将。

关羽在马上自叹："我不是想要沿途杀人，可是事不得已。曹公要是知道了，想必会以为我是忘恩之人。"正行间，忽见一骑自北而来，大叫："云长少住!"关羽勒马而视，原来是孙乾。孙乾说："皇叔派我到河北联络袁绍，可是袁绍手下的将士只顾互相妒忌，争权夺利。我与皇叔商量了，让他先去汝南，我在此等候将军。"孙乾拜见了夫人，夫人都掩面落泪。关羽不去河北，就让车仗往汝南。正走着，背后尘埃起处，一彪人马赶来，当先夏侯惇大叫："关某休走!"

夏侯惇领三百余骑从后面追来。关羽让孙乾保车仗先走，他勒马按刀说："你来赶我，有失丞相大度。"夏侯惇说："你一没有丞相公文，二又夺关斩将，杀我部将，我擒下你见了丞相再说。"二人正要厮杀，一骑飞奔而来，大声说："不可与云长交战。"夏侯惇问："丞相知道他一路杀人吗？"来使说："不知。"夏侯惇挺枪斗关羽，战有十多回合，又有使者传令，仍说丞相不知关羽一路杀人。夏侯惇挺枪又斗。这时，张辽飞马赶来，大叫："奉丞相钧旨（尊称上司的命令，是中国封建社会时对帝王将相下的命令或发表的言论的尊称）：因闻知云长斩关杀将，恐于路有阻，特差我传谕各处关隘，任便放行。"夏侯惇说："秦琪是蔡阳的外甥，托我照料，我怎向他交代？"张辽说："我自会向蔡阳解释。不可违了丞相之意。"夏侯惇只好让车马退去。张辽问："云长想到哪里去?"关羽说:"听说兄长离开袁绍处,我走遍天下也要找到他。"张辽说:"既然不知玄德音信,不如再回去见丞相,如何?"关羽说:"算了。请你代我向丞相谢罪。"就与张辽拱手作别。

**成长启示**

　　关羽得到了刘备的消息,立即向曹操请辞,但曹操避而不见。最后,关羽只能不辞而别。由于没有过关的手谕,一路之上遭到了层层拦阻,但关羽凭借一己之力,过了五个曹操所辖关隘,立斩曹操六员大将。古代能建立伟大事业的人,不但有超过他人的才干,也必定有坚忍不拔的意志。

**要点思考**

　　1.五关的将领为什么要为难关羽?

　　2.曹操是如何对待关羽的不辞而别的?

# 第十二回 曹操战官渡

**导读**

袁绍依仗自己的兵马是曹军的十倍，豪情大发，挥剑喝令攻打曹操。双方在官渡展开了恶战，袁军最终不敌曹军，仓皇溃败，袁绍在曹操的追杀下狼狈而逃。为什么会出现这样的结果呢？

关羽离开后，曹操又得知江东孙策的死讯，想要起兵征江东。张纮劝他不如奏明天子，封孙权为将军，兼会稽太守（表明了官渡之战的起因）。曹操听从了他的建议，封张纮为会稽都尉，奉印前往江东。

袁绍知道了这个情况，大怒，调各州人马七十余万，兵发官渡，攻打许昌。曹操也领兵七万，前去迎敌，留荀彧守许昌。袁绍临行时，谋士田丰在狱中上书："今且宜静守以待天时，不可妄兴大兵，恐有不利。"让袁绍静待天时，不可擅动。逢纪却说："主公兴仁义之师，田丰何得出此不祥之语！"袁绍要斩田丰，众官都求情，袁绍说："待我破了曹操，回来再治他的罪。"

袁军到阳武下寨，沮授说："我军不如曹军勇猛，曹军的粮草却不如我军多。我们利在坚守，他们利在速战。如果我们坚守几个月，曹兵粮尽，不战自败。"袁绍大怒："田丰慢我军心，我回去时必斩他。汝安敢又如此！"命人锁起沮授，待破曹后与田丰一齐治罪。

曹军得知消息，心里害怕。曹操与众谋士商议，荀攸建议必须速战速决才行。曹操传令排兵列阵，准备与袁军交战。袁绍也让审配拨一万弩（nǔ，一种用机械力量射箭的弓）手，埋伏在两翼，五千弓箭手埋伏在门旗内。一声炮响，双方主帅相见，各斥对方为反贼。曹操说："我在天子之前，保奏你为大将军，今何故谋反？"袁绍说："我奉衣带诏讨伐你。"张辽出马，与张郃（hé）大战五十回合，不分胜败。许褚出马，与高览大战一团。曹操让夏侯惇、曹洪各领三千士兵冲阵，审配放起号炮，弓弩齐射，箭如飞蝗（比喻句，突出袁绍方面兵强马壮）。曹兵大败，退到官渡。

曹军在官渡守了两个月，粮草不继。曹操想放弃官渡退回许昌，犹豫不定，写信给荀彧，荀彧来信说万万不可，只可等待时机，用奇计取胜。曹操大喜，下令死守。一天，徐晃部将史涣出营巡逻，抓到袁军奸细，说是今日袁绍大将韩猛将运粮到军前。荀攸建议曹操派徐晃半路拦击，断了袁军的粮草，袁军自乱。曹操就派徐晃为先锋，张辽、许褚接应。当夜韩猛押送粮草数千车正在行进，徐晃从山谷冲出，拦住韩猛厮杀，史涣杀散车夫，命士兵放火。袁绍接到急报，派张郃、高览救援，曹军这边的张辽、许褚赶到，杀散袁军。四将合兵一处，回官渡寨中。曹操大喜，重加犒赏。

　　韩猛败军还营，袁绍大怒，欲斩韩猛，众官劝免。审配提议，乌巢是屯粮重地，得派重兵防守，防止曹操劫粮。袁绍就派审配去运粮，派大将淳于琼带领睢（suī）元进、韩莒子、吕威璜、赵睿等将官和二万人马守乌巢。

　　曹操军粮告急，派人到许昌催粮。使者在半路却被袁军捉住，送交谋士许攸。许攸曾是曹操幼时的好友，从使者身上搜出书信，去见袁绍，说："曹操屯兵官渡日久，许昌必然空虚。若分一军星夜掩袭许昌，则许昌可拔，而操可擒也。今操粮草已尽，正可乘此机会，两路击之。"袁绍说："曹操多诡计，这是他的诱敌之计。"许攸说："今若不取，反受其害。"正说着，审配派人送来书信，说是许攸的子侄辈滥派捐税，贪污肥己，已把他子侄捕获下狱（刻画了袁绍手下谋士的不和睦，为许攸投奔曹操做铺垫）。袁绍大怒，骂道："你这贪得无厌的匹夫，有什么脸给我献计？你跟曹操是朋友，受了他的贿赂，设计来害我军。本该斩你，先留下你的头，滚出去，别再见我！"许攸回帐，仰天叹说："忠言逆耳，竖子不足与谋！吾子侄已遭审配之害，吾何颜复见冀州之人乎！"遂欲拔剑自刎。随从夺下剑，劝说："公何必轻生？袁绍不听忠言，必为曹操所擒。公既与曹公有旧，何不弃暗投明？"许攸就深夜逃出，投奔曹操。

　　许攸来到曹寨，被军士拿住。许攸说："我是曹丞相故友，快与我通报，说南阳许攸来见。"军士忙报入寨中。曹操刚睡下，听军士来报："南阳许攸求见。"慌忙跳下床，顾不上穿鞋，赤着双脚迎出来（细节描写，表现曹操求才若渴），大笑着挽着许攸的手进入营帐，先拜下去。许攸忙说："公乃汉相，吾乃布衣，何谦恭如此？"曹操说："你是我的老朋友，怎敢分贵贱？"许攸说了袁绍不用他的计，反要杀他，他所以来投。曹操说："袁绍若用你的计，我就完了。"许攸问："军中还有多少粮？"曹操说："一年。"许攸笑着说："恐怕不是吧。"曹操又说："半年。"许攸摇头，曹操改口："三月。"许攸笑着说："世上人都说曹孟德是奸雄，果然如此。"曹操只好低声说："只够这个月了。"许攸说："别瞒我，你的粮草已完了！"曹操大惊。许攸出示了那封曹操派往许昌的救急信。曹操说："你有什么办法救我吗？"许攸说："袁军粮草都屯在乌巢，淳于琼贪杯过度。你可冒充袁将领兵护粮，把他粮草烧了。袁军自败。"次日，曹操让张辽、许褚在前，徐晃、于禁在后，打着袁军旗号望乌巢进发。

曹军路过袁绍几处营寨，都用假旗号蒙混过去。到了乌巢，曹操就命军士放火。淳于琼喝醉了刚睡下，被杀声惊醒，刚坐起来，就被活捉了。这时，袁将眭元进等运粮回来，慌忙来救。曹操下令："只许向前，待敌人来到背后，再回头作战。"众军一齐向前掩杀。

袁绍见乌巢起火，派张郃、高览领五千兵去劫曹营，派蒋奇领一万兵救乌巢。蒋奇走到半路，碰到曹军回师，被张辽一刀杀死，全军覆没。张郃、高览来到曹营，中了埋伏，待袁绍的援兵到来，又逢曹操杀回，只剩二人逃脱。淳于琼回营，袁绍大怒，立即斩首。郭图抢先嫁祸于人（把自己做过但对自己不利的事情说是别人做的），说："张郃、高览早想降曹，必定损兵折将。"袁绍立即派人召张、高问罪。郭图又暗中派人通知张、高："主公要杀你们。"使者来到，高览拔剑杀掉，说："袁绍听信谗言，必被曹操所擒，我们不可等死，不如投曹操。"就跟张郃来到曹营，拜倒在地。曹操大喜，遂封张郃为偏将军、都亭侯，高览为偏将军、东莱侯。二人大喜。

袁绍既失去了许攸，又失去了张郃、高览，又失了乌巢粮，军心惶惶。许攸又劝曹操迅速进兵，张郃、高览请为先锋，曹操答应。即令张郃、高览领兵往劫袁绍营寨。当夜三更时分，出军三路劫寨。混战到明，各自收兵，袁绍大军折其大半。

曹操见袁绍人马混乱，便兵分八路，冲杀过来。袁绍来不及披甲，在长子袁谭的保护下，慌忙逃命。沮授因被监禁，当了俘虏。曹操劝他投降，他宁死不降。曹操对他更敬佩，把他留在军中。他却盗马逃跑，被抓回来。曹操一怒之下杀了他，事后又懊悔不迭，说："我误杀忠义之士。"

袁绍大败后，狱吏来见田丰，说："恭喜别驾，袁将军大败而回，必定会重用你。"田丰笑道："袁将军要是打了胜仗，一高兴还会赦免我，他现在打了败仗，恼羞成怒，必要杀我。"话音刚落，使者捧袁绍宝剑来到，传袁绍命，欲取田丰之首，狱吏方惊。田丰说："我早知道必死也。"狱吏皆流泪。田丰说："大丈夫生于天地间，不识其主而事之，是无智也！今日受死，夫何足惜！"乃自刎于狱中。

## 成长启示

曹操得知老友许攸来投，喜得光脚奔出相迎。曹操帐中，许攸建议曹操率精兵夜袭乌巢。曹操采纳了他的建议，袁绍果然中了曹军的埋伏，大败而逃。在当时险峻的环境下，曹操要是没有朋友的相助，后果还真不堪设想。所以说人的生活离不开友谊，但要得到真正的友谊却是不容易的。友谊需要用忠诚去播种，用热情去灌溉，用原则去培养，用谅解去护理。

## 要点思考

1.曹操如何赢得了以少胜多的战役？

2.袁绍为什么不听手下谋士的计策？

## 写作积累

● 忠言逆耳　竖子不足与谋

● 淳于琼喝醉了刚睡下，被杀声惊醒，刚坐起来，就被活捉了。

● 田丰说："大丈夫生于天地间，不识其主而事之，是无智也！今日受死，夫何足惜！"乃自刎于狱中。

# 第十三回　刘备三顾茅庐

**导读**

刘备三人前往隆中拜访诸葛亮，不料诸葛亮远游未归。就在回来的路上，三人碰到了诸葛亮的好友崔州平，刘备对他的远见卓识惊叹不已，也愈加坚定了他求贤的决心。腊月里，山间有人传来口信，说诸葛亮云游归来。刘备率义弟不顾风雪交加毅然前往拜访，结果会是怎样呢？

袁绍大败后，曹操听从郭嘉遗计平定袁绍的儿子。回到许昌，养精蓄锐，又分兵屯田，准备南征刘表。

却说刘备因为关羽斩颜良的事离开袁绍，南下投奔刘表。刘表得报张武、陈孙在江夏造反，派刘备领三万人马，带上关、张、赵出兵江夏。陈孙、张武出阵，赵云挺枪斗张武，只三回合刺死张武，抢马回阵。陈孙赶来，张飞出马，一矛把他刺死。刘备招安余党，收复江夏诸县，回到荆州。

刘表设宴为刘备贺功，随后，他让刘备率关、张、赵驻到新野县去。刘备自到新野，把新野治理得面貌一新。建安十二年春，甘夫人生刘禅。因她梦吞北斗怀孕，所以给孩子起乳名阿斗。

此时曹操正领兵北征，刘备向刘表提议可趁此机会直取许昌。刘表守荆州心满意足，不想出兵。饮酒时，刘表不时叹息，避而不答，刘备只好回新野。到了冬天，曹操回到许昌，刘备叹息刘表坐失良机。一次，刘表与刘备喝酒，半途中，刘备起身去了厕所。回来时，刘表见他面有泪痕，问他为什么哭，他说见大腿上长了肉，是长期不骑马上战场的缘故（神态描写，表现了刘备渴望建功立业的壮志）。如今已年近半百，还没建立功业，所以悲伤。刘表说："我听说贤弟在许昌，与曹操青梅煮酒，共论英雄；贤弟尽举当世名士，操皆不许，而独说天下英雄，只有你和他，以曹操之权力，犹不敢居吾弟之先，何虑功业不成呀？"刘备乘着酒兴说："如果我有基业，天下碌碌之辈根本不在话下！"刘表又不语。刘备自知失言，忙告辞回馆舍安歇。

蔡夫人恨刘备管她家事，要除掉刘备，暗召其兄蔡瑁商议。蔡夫人让他在襄阳大会百官时，趁机杀刘备。那天，众官都来到，刘备主持宴会。席间有人把蔡瑁的消息告诉刘备，刘备飞身上马冲出西门，蔡瑁率五百人马追赶。刘备走不几里，檀溪（在襄阳西南）拦住去路。溪水有几丈宽，波涛汹涌，无船可渡。他急得大叫："的卢，的卢！今日妨吾！"突然，的卢飞身跃起，落到西岸。蔡瑁追赶不及回城去了。

　　刘备跃马过溪，正行之间，见一牧童跨于牛背上，口吹短笛而来。牧童停下牛，看了他片刻，问："是破黄巾贼的刘玄德吗？"刘备惊问："你怎知我的名字？"牧童说是师父时常提到的。刘备问他师父是谁，牧童说："我师父复姓司马，名徽，字德操，道号水镜先生。与庞德公和庞统是朋友。"刘备说："你领我见你师父。"

　　童子领刘备来到庄院，进了中门，入至中门，忽闻琴声甚美。玄德叫童子不要通报，侧耳听之。琴声忽住而不弹。一人笑着出来："琴韵清幽，音中忽起高亢之调。必有英雄窃听。"刘备慌忙施礼，水镜说："公今日幸免大难！"刘备更加惊讶，就说了马跃檀溪之事。二人坐下相谈，刘备直叹命苦，水镜则认为刘备无人辅佐。刘备求教，水镜说："如今天下奇才都在襄阳，使君可亲自去求。伏龙、凤雏，两人得一，可安天下（为诸葛亮的出山埋下伏笔）。"刘备问他们是什么人，水镜只说："好，好！"

　　回到新野途中遇到徐庶，刘备拜徐庶为军师。正值曹操派曹仁攻打新野，徐庶破了曹仁的八门金锁阵，曹操大惊，设计骗徐庶去许昌。临别时，徐庶向刘备推荐了诸葛亮，刘备问徐庶："水镜曾说：'伏龙、凤雏，两人得一，可安天下。'是伏龙、凤雏吗？"徐庶说："凤雏是庞统，伏龙正是诸葛亮。"

　　刘备安排了礼物，正要到隆中去请诸葛亮，水镜前来拜访，顺便看望徐庶。刘备说了徐庶离别的经过，又听说刘备要去拜访诸葛亮，仰天大笑，说："卧龙虽得其主，却不逢其时，太可惜了!"言罢，飘然而去。刘备叹道："真隐居贤士也!"

第二天，刘备带关、张来到隆中，打听到诸葛亮的住处，来到卧龙冈，下马叩门。童子开门问："是谁?"刘备说："刘备特来拜见先生。"童子说："先生出门去了，不知往何处去，也不知几时回来。"刘备惆怅不已，张飞说："找不到他，咱们回去。"刘备要等，关羽也说："不如回去，探听他在家咱们再来。"刘备嘱咐童子："如先生回，可言刘备拜访。"

三人回到新野。过了几天，派人探听诸葛亮回来了，刘备就让备马。张飞说："他不过是个村夫，派人叫他来就是。"刘备责备他说："汝岂不闻孟子云：'欲见贤而不以其道，犹欲其入而闭之门也。'诸葛亮是当世大贤，怎可召他?"时值隆冬，天气严寒，彤云密布。三人行不数里，忽然朔风凛凛，瑞雪霏霏；山如玉簇，林似银妆。三人到了卧龙冈，刘备下马叩门，童子说："先生在堂上读书。"刘备进去，见中门上写一副对联："淡泊以明志，宁静以致远。"来到草堂，见一位年轻人守着炉子烤火，口中唱着："凤翱翔于千仞兮，非梧不栖；士伏处于一方兮，非主不依。乐躬耕于陇亩兮，吾爱吾庐；聊寄傲于琴书兮，以待天时。"刘备忙进门施礼，那青年说："将军是刘豫州吗? 我哥哥不在家。我大哥诸葛瑾，现在东吴孙仲谋处，诸葛亮是我二哥，我叫诸葛均。"刘备问："卧龙先生又不在家?"诸葛均说："昨天崔州平来邀他游玩去了。"至于到何处游玩，他也不知。关羽、张飞就催刘备回去，刘备借来文房四宝，留下一封书信，让诸葛均转交诸葛亮，就告辞出门。

刘备回新野之后，光阴荏苒，又早新春。命人卜了吉期，斋戒三天，香汤沐浴，换了新衣，三次去请诸葛亮。关羽认为诸葛亮徒有虚名，不敢相见，张飞却要用麻绳把他捆来（表明关羽、张飞二人对刘备如此礼遇诸葛亮的不满）。刘备斥责了张飞，说："当年周文王如何访姜子牙的？你怎么如此无礼？这次我和云长去，你别去了。"张飞连说再不失礼，刘备才让他同去。

三人离草庐还有半里，刘备就下马步行，正遇诸葛均。刘备得知诸葛亮昨晚才回来，就来到庄门，让小童通报。小童说："先生还没醒。"刘备让关、张等在门外，自己来到草堂，恭敬地等候。等了半晌，不见动静，两人进入，只见刘备在门外犹然侍立。张飞大怒，说："这先生如此傲慢！见我哥哥侍立（恭顺地站立在旁边伺候）阶下，他竟高卧不起！等我去屋后放一把火，看他起不起！"关羽再三劝阻。刘备仍命二人出门外等候。刘备看堂上，诸葛亮翻了个身，以为他醒了，正想让小童通报，谁知他又睡着了。又过了一个时辰，他才醒来，吟道："大梦谁先觉？平生我自知。草堂春睡足，窗外日迟迟。"吟罢，诸葛亮问："有客人来吗？"小童说："刘皇叔立候多时。"诸葛亮责怪了童子，慌忙到后堂换衣裳。又等多时，方整衣出迎。

刘备见他身长八尺，面如冠玉，头戴纶巾（古代配有青丝带的头巾。纶，guān）、身披鹤氅（chǎng），飘飘然有神仙之姿。刘备拜见，并倾诉了他的忧国忧民之思，请诸葛亮出山，助他平定天下。诸葛亮竭力推辞，自称年幼才疏，怕误了大事。刘备诚心相请，终于感动了诸葛亮。他让小童取一幅地图，挂起来，指点着说："此西川五十四州之图也。将军欲成霸业，北让曹操占天时，南让孙权占地利，将军可占人和。先取荆州为家，后即取西川建基业，以成鼎足之势，然后可图中原也。"刘备说："先生之言，顿开茅塞，使备如拨云雾而睹青天。但荆州刘表、益州刘璋，皆汉室宗亲，备安忍夺之？"诸葛亮说："刘表已活不长了，刘璋也不是立业之主，西川必归将军。"刘备再拜。这就是诸葛亮未出茅庐，已知三分天下。刘备再次恳求诸葛亮出山相助。诸葛亮说："我乐于耕种，懒于应世，不能奉命。"刘备说："先生不出，如苍生何！"说着，泪湿袍袖。诸葛亮深受感动，说："将军既不相弃，愿效犬马之劳。"刘备大喜，让关、张献上礼物。诸葛亮不受，刘备再三说："只是聊表寸心。"诸葛亮才收下，留三人住了一夜。

次日，他吩咐弟弟："我受刘皇叔三顾之恩，不容不出。你可躬耕于此，勿得荒芜田亩。待我功成之日，即当归隐。"后人有诗叹说："身未升腾思退步，功成应忆去时言。只因先主叮咛后，星落秋风五丈原。"

---

**成长启示**

刘备东征西讨，却是屡战屡败，始终无法得到施展抱负的机会。

正因为有了诸葛亮，他才有了取得天下、成就霸业的信心，也才有了取南郡、据益州、定汉中等一系列功绩。所以说不论在战争中还是在和平时期，任何领袖只有选贤举能、任人唯贤，才能使自己的作用发挥到极致。同时也只有具备强烈合作精神的人，才能长久地生存与发展。

## 要点思考

　　1.都有哪些人向刘备推荐了诸葛亮？

　　2.诸葛亮得知刘备来访后，都有哪些表现？

## 写作积累

　　●时值隆冬，天气严寒，彤云密布。三人行不数里，忽然朔风凛凛，瑞雪霏霏；山如玉簇，林似银妆。

　　●刘备见他身长八尺，面如冠玉，头戴纶巾，身披鹤氅，飘飘然有神仙之姿。

# 第十四回　赵云单骑救主

**导读**　曹操得知刘备正携百姓向江陵溃逃，立刻亲率大军追杀，欲斩草除根。长坂坡，赵云在荒野中找到失散的糜夫人，糜夫人将阿斗托付赵云，自己翻身坠井而亡。赵云携阿斗在曹军中砍杀突围，他能冲出去吗？

曹操派兵攻打新野。刘备问诸葛亮怎么办，诸葛亮让速取襄阳。刘备贴出布告，百姓愿去的同去，不愿去的留下。又派关羽准备船只，百姓宁死也要跟随刘备，扶老携幼，哭哭啼啼，登船渡江。

来到襄阳东门，刘备让刘琮开城，刘琮不见他。刘备领着百姓望江陵进发。十数万百姓，大小车数千辆，一天走不上十来里。路过刘表之墓，刘备率众将拜于墓前，哭告说："辱弟备无德无才，负兄寄托之重，罪在备一身，与百姓无干。望兄英灵，垂救荆襄之民！"言甚悲切，军民无不下泪。忽探马来报："曹操大军已屯樊城，使人收拾船筏，即日渡江赶来也。"众将皆说："江陵要地，足可拒守。今拥民众数万，日行十余里，似此几时得至江陵？倘曹兵到，如何迎敌？不如暂弃百姓，先行为上。"玄德泣说："举大事者必以人为本。今人归我，奈何弃之（语言描写，表明刘备成大业占的是人和）？"百姓闻玄德此言，莫不伤感。诸葛亮说："追兵很快就到，可让云长去江夏，让刘琦派水军速去江陵。"刘备就让关羽与孙乾去江夏求救，命张飞断后，赵云保护他妻小。

曹操过江来襄阳，把蒯（kuǎi）越、王粲（càn）等都封了侯，却把刘琮封为青州刺史，命他立即起程。刘琮不愿去，曹操不允，母子只好渡江北上。曹操派于禁追杀，刘琮母子被杀害。曹操又派人捉诸葛亮的老小，却已不知去向。他听说刘备领百姓一天只走十几里，就选五千铁骑兵，限令一天一夜赶上刘备。

诸葛亮说："云长往江夏去了，没有回音，不知若何。"刘备说："敢烦军师亲自走一遭。刘琦感公昔日之教，今若见公亲至，事必谐矣。"诸葛亮允诺，便同刘封引五百军先往江夏求救去了。

刘备仍不忍心抛弃百姓，就驻扎在当阳县的景山。时秋末冬初，凉风透骨；黄昏将近，哭声遍野。四更时，曹兵从西北杀来，刘备忙领两千兵迎敌。正当危急时，张飞杀来，救刘备望东而去。糜芳脸上带箭，踉跄赶来，说："赵云投奔曹操去了。"刘备不信，张飞说："他今见我等势穷力尽，或者反投曹操，以图富贵耳！"刘备说："子龙从我于患难，心如铁石，非富贵所能动摇也。"糜芳说："我亲见他投西北去了。"张飞说:"待我亲自寻他去。若撞见时,一枪刺死!"刘备说:"休错疑了。岂不见你二兄诛颜良、文丑之事乎?子龙此去,必有事故。吾料子龙必不弃我也。"张飞哪里肯听,引二十余骑,至长坂桥。见桥东有一带树木,心生一计:叫所从二十余骑,都砍下树枝,拴在马尾上,在树林内往来驰骋,冲起尘土,以为疑兵(细节描写,刻画了张飞粗中有细)。张飞却亲自横矛立马于桥上,向西而望。

赵云从四更时分就与曹军厮杀,往来冲突,杀至天明,寻不见刘备,又失了刘备家人,赵云拍马在乱军中寻觅,二县百姓号哭之声震天动地;抛男弃女而走者不计其数。赵云正走之间,见一人卧在草中,原来是简雍。赵云急问:"曾见两位主母否?"雍说:"二主母弃了车仗,抱阿斗而走。我飞马赶去,转过山坡,被一将刺了一枪,跌下马来,马被夺了去。我争斗不得,故卧在此。"赵云让一匹马与简雍骑坐。路上,又有一受伤的小卒说见甘夫人蓬头赤足,随一伙百姓往南去了。赵云赶上去,只见一伙百姓,男女数百人,相携而走。赵云大叫:"有甘夫人吗?"甘夫人在后面望见赵云,放声大哭。这时,一支敌军冲来,赵云见糜竺被淳于导绑在马上,要解去请功,大喝一声,纵马挺枪,一枪刺死敌将,杀散敌军,夺来两匹马,请甘夫人上马,杀开条大路,直送至长坂城。只见张飞横矛立马于桥上,张飞大叫:"子龙,你为什么反我哥哥?"赵云说:"我四下寻找主母和小主人,哪里反了?"赵云让糜竺保甘夫人过河见刘备,换马再次冲入敌阵。

正走之间，见一将手提铁枪，背着一口剑，引十数骑跃马而来。赵云更不打话，直取那将。赵云一枪刺死敌将，夺过剑，一看是"青虹"剑。曹操有两口宝剑，一名"倚天"，一名"青虹"。倚天剑他随身佩带，青虹剑由背剑官夏侯恩背着。那青虹剑砍铁如泥，锋利无比。当时夏侯恩自恃勇力（自以为勇猛有力），背着曹操，只顾引人抢夺掳掠。赵云知这是曹操的宝剑，就插剑提枪，东冲西突，逢人就打听糜夫人。在断墙后面寻见糜夫人，正坐在墙后井边哭，赵云就让夫人上马，糜夫人说："妾得见将军，阿斗有命矣。望将军可怜他父亲飘荡半世，只有这点骨血。将军可护持此子，叫他得见父面，妾死无恨！"赵云三番五次请她上马，夫人不肯，只听四面杀声大作，夫人把阿斗一扔，跳入井中。赵云怕曹兵盗尸，推倒土墙盖住井，解开勒甲绦，放下护心镜，把阿斗缚在怀里，提枪上马，正遇晏明，他一枪刺死，杀散众军，冲开一条路。又碰见张郃，二人斗了十多回合，赵云不敢恋战，拨马就走，不料连人带马栽进陷马坑。张郃挺枪来杀赵云，忽然一道红光，那马竟跃出土坑。张郃大惊，转身就走。赵云往前冲去，后有马延、张颉（yǐ），前有焦触、张南。他一手舞枪，一手挥剑，杀得曹兵血肉横飞，冲出重围。

曹操在景山顶上，望见一将，所到之处，威不可挡，急问左右是谁（侧面描写，突出赵云的勇猛）。曹洪飞马去问，赵云高叫："我是常山赵子龙！"曹操说："真是虎将，我要活捉他。"传令捉活的，不许放暗箭。因此赵云得脱此难；此亦阿斗之福所致也。这一场厮杀：赵云怀抱后主，直透重围，砍倒大旗两面，夺槊三条；前后枪刺剑砍，杀死曹营名将五十余员。后人有诗曰："血染征袍透甲红，当阳谁敢与争锋！古来冲阵扶危主，只有常山赵子龙。"

## 成长启示

赵云力战众将，威武勇猛。正在山上观战的曹操见赵云势不可挡，传令一定要活捉。赵云利用这个机会冲出包围，连杀五十员曹将，终于将阿斗交给了刘备。以此我们可以看出，成功的人都有浩然的气概，他们都是大胆的、勇敢的。他们的字典里，是没有"惧怕"两个字的，他们自信自己的能力是能够干一番事业的，他们自认他们是很有价值的人。

## 要点思考

1. 曹操是怎样对待襄阳的大小官员的？

2. 赵云在百万军中有哪些表现？

## 写作积累

●时秋末冬初,凉风透骨;黄昏将近,哭声遍野。四更时,曹兵从西北杀来,刘备忙领两千士兵迎敌。

# 第十五回　草船借箭

**导读**

　　周瑜得知蔡瑁已死，大喜。又派鲁肃前往诸葛亮处打探。周瑜得知诸葛亮早已看穿他的计谋后，深感诸葛亮神机妙算，此人不除，日后必为东吴大患！周瑜是怎样陷害诸葛亮的呢？

　　**刘**备危急之时，听说鲁肃过江垂吊刘表，诸葛亮建议刘备与东吴联合，以抗曹操。诸葛亮随鲁肃过江，劝说孙权。孙权让大都督周瑜领兵，鲁肃、诸葛亮随行。

　　刘备见孙权发兵，就把江夏的兵都调到夏口。派糜竺带上酒肉礼物，以犒军为名前往南岸探听诸葛亮的消息。周瑜接待了糜竺，说他要与诸葛亮合谋破曹，诸葛亮暂时不能回去。可请刘备过江与诸葛亮一起，共议破曹大计。

　　糜竺告辞后，鲁肃问周瑜请刘备干什么。周瑜说："玄德世之枭雄，不可不除。吾今乘机诱至杀之，实为国家除一后患（语言描写，刻画了刘备与孙权两方面和心不和）。"鲁肃再三劝谏，周瑜不听，遂传密令："如玄德至，先埋伏刀斧手五十人于壁衣中，看吾掷杯为号，便下手。"

糜竺见了刘备，说出周瑜相请商议破曹大计。刘备命人收拾船，关羽说："周瑜多谋之士，又无诸葛亮书信，恐其中有诈，不可轻去。"刘备以两家同盟破曹，不宜互相猜疑为由，坚持要去。关羽说："兄长若执意要去，弟愿同往。"张飞也要去，刘备让张飞与赵云守寨，带上关羽与二十多名随从，乘船过江。刘备观看江东艨艟（méng chōng，中国古代具有良好防护的进攻性快艇）战舰、旌旗甲兵，左右分布整齐，心中甚喜。军士报告周瑜："刘豫州来了。"周瑜问："来多少人？"军士说："只有一只船，二十余人。"周瑜高兴万分："此人命该休矣！"乃命刀斧手先埋伏定，然后出寨迎接。叙过礼，请刘备上坐，设宴款待。席间却因关羽在刘备身后，周瑜不敢动手。刘备让他请诸葛亮来见，周瑜支吾着说等破了曹操再与诸葛亮相见。刘备起身告辞，一上船见到诸葛亮，十分高兴。诸葛亮笑着说："今天若无云长，主公就被周瑜暗害了。"刘备方才省悟，请诸葛亮同回樊口。诸葛亮说自己在此安如泰山，只要在十一月二十日派子龙驾小船来接就行了。

鲁肃问周瑜："公既诱玄德至此，为何又不下手？"周瑜说："关云长，世之虎将也，与玄德行坐相随，吾若下手，他必来害我。"鲁肃愕然（惊讶的样子）。

却说曹操派蒋干过江来探听周瑜的虚实，蒋干，字子翼，当年与周瑜是同学。没想到虚实没探听出来，却中了周瑜的反间之计，让曹操斩杀了熟知水军之法的蔡瑁、张允二人。曹操于众将内选毛玠、于禁为水军都督，代替蔡、张二人之职。

周瑜得知，非常高兴，但他认为，此计众人都能瞒过，就怕瞒不过诸葛亮，让鲁肃前去试探（细节描写，为下文草船借箭埋下伏笔）。鲁肃领了周瑜之令，来舟中相探诸葛亮。诸葛亮接入小舟对坐，鲁肃说："连日措办军务，有失听教。"诸葛亮说："我正要给都督贺喜。"鲁肃问："贺什么喜?"诸葛亮说："公瑾使先生来探我知也不知，便是这件事可贺喜耳。"鲁肃失色问道："先生何由知之?"诸葛亮说："这条计只好糊弄蒋干。曹操虽被一时瞒过，必然省悟，只是不肯认错。今蔡、张两人既死，江东无患矣，如何不贺喜！曹操换毛玠、于禁为水军都督，这两人会断送了水军性命。"鲁肃听了，开口不得，支吾了半晌，别诸葛亮而回。诸葛亮嘱咐说："望子敬在公瑾面前不要说我先知此事。恐公瑾心怀妒忌，又要寻事害我。"鲁肃应诺而去，回见周瑜，把事实说了。周瑜大惊："此人决不可留！吾决意斩之!"鲁肃劝说："若杀孔明，要惹曹操取笑呀。"周瑜说："我自有办法杀他，让他死而无怨。"

第二天，周瑜召集众将，请诸葛亮议事。周瑜问："即日将与曹军交战，水路交兵，当以何兵器为先?"诸葛亮说："大江之上，以弓箭为先。""先生之言，甚合愚意。但今军中正缺箭用，敢烦先生监造十万支箭，以为应敌之具。此系公事，先生幸勿推却。""都督委任，自当效劳，不知什么时候要?""十天之内，能造完吗?""曹军说到就到，十天怕误大事。三天就可交十万支箭。"周瑜欣喜万分，当即让军政司立了文书，置酒款待诸葛亮。诸葛亮说："今日已不及，来日造起。至第三日，可差五百小军到江边搬箭。"诸葛亮告辞后，鲁肃说："此人莫非诈乎？"周瑜说："他自送死，非我逼他。今要了文书，他便两肋生翅，也飞不去。我只吩咐军匠人等，叫他故意迟延，凡应用物件，都不与齐备。如此，必然误了日期。那时定罪，有何理说？公今可去探他虚实，却来回报。"

鲁肃来到，诸葛亮埋怨："我曾告子敬，休对公瑾说，他必要害我。不想子敬不肯为我隐讳，今日果然又弄出事来。三日内如何造得十万箭？子敬只得救我！"鲁肃说："公自取其祸，我如何救得你？"诸葛亮说："望子敬借我二十只船，每船要军士三十人，船上皆用青布为幔，各束草人千余个，分布两边。我自有妙用。第三日包管有十万支箭。只不可又叫公瑾得知，若他知道了，我的计策就失败了。"鲁肃答应了，不解其意，借船的事也没敢跟周瑜说。

鲁肃私自拨快船二十只，按诸葛亮吩咐做好准备。第一日却不见诸葛亮动静；第二日亦不动。至第三日四更时分，诸葛亮密请鲁肃到船中。鲁肃问："公召我来何意？"诸葛亮说："请跟我取箭去。""到哪里取箭？""子敬休问，一去就知道。"就把船用绳索连成一串，望北岸驶去。这夜大雾弥漫，江中雾更浓，对面不见人。五更时，船已抵近曹军水寨。诸葛亮叫把船头西尾东，一字排开，命军士擂鼓呐喊。鲁肃胆战心惊（形容非常害怕）地说："假如曹兵齐出，如之奈何？"诸葛亮笑着说："我料曹操在重雾中必不敢出。我们只顾酌酒取乐，待雾散便回。"

听得擂鼓呐喊，毛玠、于禁飞报曹操，曹操传令："重雾迷江，敌军忽至，必有埋伏，不可轻动。可拨水军弓弩手乱箭射之。"又命张辽、徐晃各带三千弓弩兵，火速到江边助射。不多时，水旱寨万弩齐发，箭如雨下。诸葛亮再让船只调头，头东尾西，擂鼓呐喊。待到日高雾散，下令回去，让军士高喊："谢丞相箭！"待曹操得知消息，船轻水急已走二十余里，追不上了。

诸葛亮对鲁肃说："每条船上有五六千支箭，不费江东半分之力，已得十万余箭。"鲁肃问："先生真神人也！何以知今日如此大雾？""为将而不通天文，不识地利，不知奇门，不晓阴阳，不看阵图，不明兵势，是庸才也。我早就算准今天有雾，所以敢许公瑾三日交箭。他要用风流罪过杀我，怎能害得成？"鲁肃拜服。船到岸边，周瑜已派五百兵等在那里，从草把上拔下箭，搬入中军交纳。鲁肃见了周瑜，说了诸葛亮借箭的经过，周瑜慨然叹道："诸葛亮神机妙算，吾不如也！"诸葛亮过来，周瑜走下帐去迎接，说："先生神算，使人佩服。"诸葛亮说："诡诈小计，何足为奇。"

二人落座饮酒，周瑜说："昨日吾主遣使来催我进军，而曹军水寨，严整有法，我有一计，不知可行吗？"诸葛亮说："都督不要说。各自写于手内，看同也不同。"二人写了，互伸开手，都是一个"火"字。二人相视大笑。

**成长启示**

周瑜妒忌诸葛亮的才干，要诸葛亮在十天内造好十万支箭，想以此陷害他。诸葛亮用妙计向曹操"借箭",挫败了周瑜的暗算。一个人如果不是真正有道德,就不可能真正有智慧。精明和智慧是不同的两件事。精明的人是精细考虑他自己利益的人,就像周瑜这样;智慧的人是精细考虑他人利益的人,就像诸葛亮这样。

## 要点思考

1.周瑜为什么想杀刘备又不敢杀?

2.诸葛亮用什么方法借来了十万支箭?

## 写作积累

●望子敬借我二十只船,每船要军士三十人,船上皆用青布为幔,各束草人千余个,分布两边。我自有妙用。

●不多时,水旱寨万弩齐发,箭如雨下。诸葛亮再让船只调头,头东尾西,擂鼓呐喊。

# 第十六回　赤壁之战

**导读**

曹操接到黄盖的乞降密信，难辨真假，犹豫不决，直到截获蔡氏兄弟的密信之后，才相信黄盖是真心归降。就在曹军上下士气高昂，欲一举夺取江东之时，周瑜却吐血晕倒，令江东文武一片惊慌。到底发生了什么事，会让周瑜吐血呢？

建安十二年冬十一月十五日，天气晴朗，风平浪静，曹操传令，今夜在大船摆酒，大会众将。天色向晚，东山月上，皎皎如同白日。长江一带，如横素练。曹操坐在大船之上，左右侍者数百人，皆锦衣绣袄，荷戈执戟。文武众官，各依次而坐。曹操见南屏山色如画，东视柴桑之境，西观夏口之江，南望樊山，北觑（qù）乌林，四顾空阔，心中欢喜，与众文武说说笑笑，开怀畅饮。他时而大发感慨，要早日收服江南，平定天下，与众人同享富贵；时而大骂周瑜、鲁肃，又骂刘备、诸葛亮蝼蚁之力，欲撼泰山，何其愚耶；时而又叹年华如水，已经五十四岁，待破了东吴，把二乔接到铜雀台，安度晚年。曹操正在谈笑，忽听乌鸦叫声，望南飞去，就问："此鸦缘何夜鸣?"有人说："鸦见月明，疑是天晓，故离树而鸣也。"曹操已喝得大醉，哈哈大笑着，就取一支槊站在船头，以酒浇奠江中，又满饮三杯，说："我持此槊，破黄巾、擒吕布、灭袁术、收袁绍，深入塞北，直抵辽东，纵横天下，颇不负大丈夫之志也。今对此景，甚有感慨。我作歌，你们都要和。"他唱道："对酒当歌，人生几何! 譬如朝露，去日苦多。慨当以慷，忧思难忘。何以解忧? 惟有杜康。青青子衿，悠悠我心。但为君故，沉吟至今。呦呦鹿鸣，食野之苹。我有嘉宾，鼓瑟吹笙。皎皎如月，何时可辍? 忧从中来，不可断绝。越陌度阡，枉用相存。契阔谈宴，心念旧恩。月明星稀，乌鹊南飞。绕树三匝，无枝可依。山不厌高，水不厌深。周公吐哺，天下归心。"

第二天，水军都督毛玠、于禁来报，说船已用铁链锁好，曹操大喜，前去观大船操练。周瑜也在山顶观战，见曹船如此，高兴得大笑起来。突然，一阵风吹过，旗角在周瑜脸上拂过，周瑜大叫一声，吐血倒地，昏迷不醒。

鲁肃心中烦闷，来见诸葛亮。诸葛亮说周瑜的病他能治。鲁肃就请诸葛亮去给周瑜看病。周瑜叫左右扶起他，坐在床上。诸葛亮问："连日不晤（见面）君颜，何期贵体不安!"周瑜说："'人有旦夕祸福'，怎能预料?"诸葛亮笑着说："'天有不测风云'，更难预料（为下文借东风埋下伏笔）。"周瑜听出他话中有话，故作呻吟。诸葛亮说："我有一方，管教都督气顺。"取过纸笔，写下十六个字："欲破曹公，宜用火攻,万事俱备,只欠东风。"周瑜看了,不得不叹服,问:"先生知我病源!军情危急,望请赐教。"诸葛亮说:"亮虽不才,曾遇异人,传授奇门遁甲天书,可以呼风唤雨。都督若要东南风时,可于南屏山建一台,名曰七星坛:高九尺,作三层,用一百二十人,手执旗幡围绕。亮于台上作法,借三日三夜东南大风,助都督用兵,何如?"周瑜说:"休道三日三夜,只一夜大风,大事可成矣。只是事在目前,不可迟缓。"诸葛亮说:"十一月二十日甲子祭风,至二十二日丙寅风息,怎样?"周瑜一高兴,马上下了床,命五百军士筑坛,一百二十人去护旗。

　　一切准备停当,等到晚上,天色清明,微风不动。周瑜对鲁肃说:"诸葛亮之言谬矣。隆冬之时,怎得东南风乎?"将近三更时分,忽听风声响,旗幡转动。周瑜出帐看时,旗脚竟飘西北。霎时间东南风大起,周瑜骇然(惊讶的样子)道:"此人有夺天地造化之法、鬼神不测之术!若留此人,乃东吴祸根也。及早杀却,免生他日之忧。"命令丁奉、徐盛捉拿诸葛亮。二人到时,诸葛亮已没有影踪,原来赵云驾船接走了诸葛亮。

　　这时东风大起,波涛汹涌。曹操在大船上隔江遥望,看看月上,照耀江水,如万道金蛇,翻波戏浪。隐约见一队船驶来,待近了,认出船上都插着青龙牙旗,大旗上写着黄盖的名字,就说:"公覆来降,天助我也。"船队越来越近,程昱说:"来船必有诈。粮船稳重,这些船很轻浮。再说今夜又是东南风,不能不防。"曹操省悟,问:"谁去拦他们?"文聘就带十多条船迎上去,大叫:"丞相钧旨:

南船且休近寨，就江心抛住。"话音未落，文聘中箭，倒在船中。手下大乱，各自奔逃。黄盖把刀一招，前船一齐发火。火趁风威，风助火势，船如箭发，烟焰涨天。二十只火船，撞入水寨，曹寨中船只一时尽着；又被铁链锁住，无处逃避。隔江炮响，四下火船齐到，但见三江面上，火逐风飞，一派通红，漫天彻地。

曹操正无处逃避，张辽驾小船赶来，把曹操接上小船。黄盖见穿绛红袍的逃走，知是曹操，催船快赶。张辽一箭射中黄盖左肩，黄盖落水，曹操才得走脱。

走到五更，火光渐远，曹操放下心来。他见周围山川险峻，树木丛生，不由仰面大笑。左右问："丞相笑什么?"曹操说："我不笑别人，单笑周瑜无谋，诸葛亮少智。若是吾用兵之时，预先在这里伏下一军，如之奈何?"话音未落，战鼓齐鸣，火光冲天，赵云一马冲出来，大叫："我赵子龙奉军师将令，在此等候多时了!"曹操吓得几乎落马，徐晃、张郃拼命拦住赵云，曹操才得脱身。赵云也不追赶，命士兵抢夺战利品。天色微明时，突然下起大雨，曹军淋成落汤鸡，又冷又饿。曹操就命令士兵进村抢劫粮食、火种，正想做饭，李典、许褚护着一班谋士赶来。曹操就命人马投南彝陵奔江陵。走到葫芦口，士兵饿得走不动，许多马匹也倒在路上。曹操就命军士取出抢来的粮食做饭，割马肉烧了当菜。人都脱去湿衣晾晒，马匹摘了鞍放牧。曹操坐在树下，仰面大笑。众官说："丞相方才笑出赵云来，为什么又笑?"曹操说："吾笑诸葛亮、周瑜毕竟智谋不足。若是我用兵时，就这个去处，也埋伏一彪军马，以逸

逸待劳；我等纵然脱得性命，也不免重伤矣。彼见不到此，我是以笑之。"正说着，众军一阵乱叫，曹操来不及披甲就上了马，许多人来不及上马。只见山口摆开一支人马，为首的正是张飞，大叫："曹贼哪里去！"曹军闻听此言都丧了胆。许褚、张辽、徐晃三人骑着无鞍马夹攻张飞，曹操当先逃脱，众将相继脱身。张飞追杀一阵，曹兵大多带伤逃离。

正走着，前面有两条路。小军问："前面有两条路，请问丞相从哪条路走？"曹操命人上高处观看，见小路有几处冒烟，就命人走小路。众人问："有烟处必有人马，为什么走这条路？"曹操说："岂不闻兵书有云：虚则实之，实则虚之。诸葛亮多谋，故使人于山僻烧烟，使我军不敢从这条山路走，他却伏兵于大路等着。吾料已定，偏不中他计！"众人走上华容道早已人困马乏，伤员互相搀扶行走，加上饥寒交迫，苦不堪言。泥陷马蹄，不能前进。曹操就下令让强壮的垫路，伤残的慢走。曹操命令张辽、许褚、徐晃引百骑监工，迟慢的就砍，把死尸填路。走了几里，路稍平坦，曹操见身边只剩三百余人，没有一人衣甲整齐，又仰面大笑。众人问："丞相为什么又大笑？"曹操说："人皆言周瑜、诸葛亮足智多谋，以吾观之，到底是无能之辈。若使此处伏一旅之师，吾等皆束手就擒了。"话音未落，一声炮响，关羽带五百校刀手拦住去路。众将魂飞魄散（吓得连魂魄都离开人体飞散了。形容惊恐万分，极端害怕），面面相觑。

曹操与众将轮番与关羽叙旧情，关羽念起旧情，把曹操放了。关羽放了曹操，空手回夏口。诸葛亮与刘备见关羽回来，举杯迎接："且喜将军立此盖世之功，与普天下除大害。合宜远接庆贺！"关羽说："关某特来领死。"诸葛亮问："莫非曹操不曾投华容道上来？""关某无能，被他走脱。""拿到哪个文臣武将？""一个都没有。"诸葛亮变了脸，说："此是云长想曹操昔日之恩，故意放了。但既有军令状在此，不得不按军法。"就命令武士把关羽推出斩首。刘备连忙求情，诸葛亮才饶了关羽。

## 成长启示

关羽回营，沮丧地报说自己无能，让曹操突围而逃。诸葛亮大怒，令军士斩杀关羽。刘备求情，愿同死。诸葛亮顺水推舟，饶关羽不死。所以说，最牢固的友谊是共患难中结成的，正如生铁只有在烈火中才能锤炼成钢一样。

## 要点思考

1. 曹操为什么会在赤壁失败？

2. 关羽为什么在华容道放走曹操？

## 写作积累

●青青子衿，悠悠我心。但为君故，沉吟至今。

●黄盖把刀一招，前船一齐发火。火趁风威，风助火势，船如箭发，烟焰涨天。

# 第十七回　周瑜三气丧命

导读

诸葛亮识破了周瑜的假途灭虢之计，决定调动所有人马，凭借天时地利的优势与周瑜殊死一搏。周瑜率军攻打荆州，竟然被诸葛亮设计埋伏，东吴军首战大败。周瑜愤恨不过，身体日渐虚弱。周瑜能斗得过诸葛亮吗？

在赤壁之战前，刘备向孙权借去了荆州之地，暂时安身，说是退曹之后归还。曹操败归许昌，周瑜遣鲁肃索要荆州。鲁肃见到刘备，刘备许诺，取得西川后归还荆州。鲁肃无奈，只得回去。先到柴桑见了周瑜，周瑜说鲁肃上当了，刘备若永远不取西川，岂不永远不还荆州？吴侯要是怪罪，谁也吃罪不起。鲁肃请周瑜救他，周瑜心生一计，准备让孙权假意为妹招亲，把刘备骗来监禁，用刘备为人质向诸葛亮讨还荆州。周瑜就写了书信，让鲁肃带给吴侯。孙权看了暗喜，派吕范为媒人，前往荆州说媒。

周瑜的计策却被诸葛亮识破，诸葛亮就派孙乾随吕范过江，见过孙权，回报刘备。刘备与诸葛亮商议停当，诸葛亮吩咐赵云："你保主公入吴，当领此三个锦囊。囊中有三条妙计，依次而行。"即将三个锦囊交与赵云贴肉收藏，诸葛亮先使人往东吴纳了聘，一切完备。

建安十四年十月，刘备带赵云、孙乾与五百军士，乘十只快船前往南徐。到了南徐，赵云取出第一个锦囊，拆开看了，就让五百军士披红挂彩，牵羊担酒，到处扬言刘备到东吴招亲的事，又让刘备先去见乔国老。乔国老就是二乔的父亲，刘备带人牵羊担酒，前去拜见，说是吕范为媒，前来入赘（指的是男方到女方家里落户，俗称"倒插门"。赘，zhuì）。乔国老去见吴国太贺喜，国太还不知怎么回事。乔国老说："令爱已许配刘玄德为夫人，玄德已到南徐，你还瞒我？"国太大惊，说："老身不知此事！"就派人去打听，回报说："果有此事。女婿已在馆驿安歇，五百随行军士都在城中买猪羊果品，准备成亲。做媒的女家是吕范，男家是孙乾，俱在馆驿中相待。"国太更吃惊，唤来孙权，捶胸大哭，质问："我不是你亲娘，你就看不起我。我姐姐临终时怎么吩咐你的？"孙权忙说："母亲有话就明说，何苦如此？""男大须婚，女大须嫁，古今常理。我为你母亲，事当禀明于我。你招刘玄德为婿，如何瞒我？女儿可是我的！"孙权更是吃惊，掩饰说："哪里有这事？"国太说："若要不知，除非莫为。满城百姓，哪一个不知？你倒瞒我！"乔国老说："老夫已知多日了，今特来贺喜。"孙权只好说："非也。此是周瑜之计，因要取荆州，故将此为名，赚刘备来拘囚在此，要他用荆州来换；若其不从，先斩刘备。此是计策，非实意也。"国太于是破口大骂周瑜："你做了六郡八十一州大都督，没有本事去取荆州，却将我女儿为名，使美人计！杀了刘备，我女便是望门寡，明日再怎的说亲？须误了我女儿一世！你们好做作！"乔国老说："若用此计，便得荆州，也被天下人耻笑。此事如何行得！"孙权默默无言，吴国太骂不绝口。

在吴国太与乔国老的干预下，刘备顺利与孙权的妹妹成亲。孙权无奈，派人到柴桑把弄假成真的事告诉了周瑜，周瑜大吃一惊，又寻思一计，让孙权用美色、玩物，消磨刘备的壮志，离间他和关、张、诸葛的感情，把他困在东吴。孙权征询张昭意见，张昭认为周瑜此计可行。孙权就为刘备修整府第，广栽花木，布置精美的家具，派女乐数十人，赠送金玉玩物。刘备果然迷恋声色，不想再回荆州。赵云见年底已近，刘备不提回去的事，拆看了第二个锦囊，依计匆忙去找刘备，故作惊慌地说："今早诸葛亮使人来报，说曹操要报赤壁鏖兵 (大规模的激烈战争。鏖，áo) 之恨，起精兵五十万，杀奔荆州，甚是危急，请主公便回。"刘备说："我跟夫人说一下。"赵云说："若和夫人商议，必不肯叫主公回。不如不要去说，今晚便好起程。迟则误事！"刘备说："你且暂退，我自有道理。"赵云故意催逼数番而出。

刘备见了孙夫人，暗暗落泪，说："我一生飘荡异乡，不能孝敬双亲，祭祀祖宗，大逆不孝。"孙夫人说："你别瞒我，赵子龙的话我也听到几句，你想回去。"刘备说："夫人既知，我安敢相瞒。我若不回去，怕荆州有失，被天下人耻笑；若回去，又舍不得夫人。因此烦恼。"孙夫人说："我去求母亲，她会放我们回去。"刘备说："就是国太放我们，吴侯也会阻拦。"孙夫人想了一阵，说："元旦那天，我们就说到江边祭祖，不辞而别。"

　　建安十五年大年初一，吴侯大会文武于堂上。刘备夫妇去拜国太，夫人要到江边遥祭祖先。国太说："这是孝行，你虽没见过公婆，遥祭了也算尽了妇道。"夫妻拜别回府，刘备骑马，夫人坐车，只带了随身物品出了城。赵云带五百兵等在城外，护送刘备夫妻，火速赶路。到天晚，刘备府中人见刘备不回，去报孙权，孙权却已大醉，直到五更才醒。他知刘备已走，就命陈武、潘璋领五百精兵立即追赶。二将走后，程普说："郡主自幼好观武事，严毅刚正，诸将皆惧。既然肯顺刘备，必同心而去。所追之将，若见郡主，岂肯下手？"孙权解下佩剑，命令蒋钦、周泰："你们拿我的剑把我妹妹与刘备的人头拿回来。谁敢违背命令就立即斩首！"

　　刘备拼命赶路，眼看快到柴桑，陈武、潘璋从后面追来，徐盛、丁奉又领三千兵拦路。赵云连忙拆看第三个锦囊给刘备看。刘备哭告孙夫人，说出东吴招亲实是周瑜和吴侯使的美人计，如今吴侯、周瑜见势不好，要杀他夫妻。夫人大怒，说："我哥哥既不把我当妹妹看，我还有什么脸面再回来见他？今天的危险我来解！"她让从人把车推出，呵斥丁、徐："你们想造反吗？"二将慌忙下马，说："不敢。我们奉周都督将令，屯兵在此专候刘备。"孙夫人大骂："周瑜逆贼！我东吴不曾亏负你！玄德乃大汉皇叔，是我丈夫。我已对母亲、哥哥说知回荆州去。今你两个于山脚去处，引着军马拦截道路，意欲劫掠我夫妻财物耶？你只怕周瑜，独不怕我？周瑜杀得你，我岂杀不得周瑜？"丁、徐挨一顿骂，又见赵云怒气冲冲，只好让开路，放刘备夫妻过去。不多时，陈武、潘璋赶来，与丁、徐合兵，追赶上去。夫人把四将又大骂一顿。四将面面相觑，各自寻思："他一万年也只是兄妹。更兼国太做主；吴侯乃大孝之人，怎敢违逆母言？明日翻过脸来，只是我等不是。不如做个人情。"不敢下手，只得转去。蒋钦、周泰风驰电掣（形容非常迅速，像风吹电闪一样）般赶来，对四将说："吴侯怕你们不敢拿他，封下一口宝剑，叫先杀他妹，后斩刘备。违者立斩！"四将说："他们过去好长时间了，怎么办？"蒋钦说："他们是步兵，走不快。徐、丁二将军可飞报都督，叫水路棹快船追赶；我四人在岸上追赶。无问水旱之路，赶上杀了，休听他言语。"于是徐盛、丁奉飞报周瑜；蒋钦、周泰、陈武、潘璋四个领兵沿江赶来。刘备走到刘郎浦，见追兵渐至，心下焦急。忽见不远处抛着拖篷船二十多只。赵云说："天幸有船在此！何不速上船，到了北岸再说。"刘备与孙夫人便上了船，赵云引军士也上去，只见船舱中一人纶巾道服，大笑而出，说："主公且喜！诸葛亮在此等候多时。"船中扮作客人的，皆是荆州水军。玄德大喜忙命开船。四将赶来，诸葛亮说："你们回去转告周郎，叫他别再使美人计了。"四将命乱箭射去，船已开远。

周瑜派兵赶到岸边，关羽、黄忠、魏延分率人马杀来。吴兵大败，逃到船上。刘备的军士齐声大叫："周郎妙计安天下，赔了夫人又折兵！"周瑜忍无可忍，大叫一声，箭疮迸裂，倒在船上（动作语言描写，为周瑜被气身亡埋下伏笔）。

东吴派华歆为使，去许昌表奏刘备为荆州牧。没想到他们的计策让曹操识破了，曹操将计就计，封周瑜为南郡太守，程普为江夏太守，把华歆留下重用。周瑜受了封号，更想报仇，就让孙权派鲁肃再去讨荆州。刘备大哭一场，说是取西川后就还，只是与刘璋是同宗，不忍取西川。鲁肃无法可想，只好告辞。

鲁肃见了周瑜，周瑜让他再去荆州，就说周瑜可代刘备取西川，让刘备供应些钱粮就行了。周瑜说出了计策，鲁肃大喜，再次前往荆州。鲁肃说了周瑜的意思，刘备拱手称谢。鲁肃告辞后，诸葛亮对刘备说出周瑜的阴谋，叫来赵云，安排好如何对付。

鲁肃回见周瑜，把情况一说，周瑜大笑着说："诸葛亮也中了我的计！"让鲁肃去见吴侯，派程普引军接应。周瑜派兵望荆州出发。一路上，周瑜志得意满。周瑜来到荆州城下，不见动静。周瑜命军士叫门："东吴周都督来了。"话音未落，忽听一声梆子响，城上刀枪林立，赵云站出来问："都督此行，到底为的什么？"周瑜说："我替你主公取西川，你难道不知道？"赵云说："诸葛亮军师已知都督假途灭虢（用借路的名义而灭亡这个国家。虢，guó）之计，故留赵云在此。吾主公有言：孤与刘璋，皆汉室宗亲，安忍背义而取西川？若汝东吴端的取蜀，吾当披发入山，不失信于天下也。"周瑜正想回军，探子来报：关羽从江陵杀来，张飞从秭（zǐ）归杀来，黄忠从公安杀来，魏延从屡陵杀来。周瑜怒气填胸，大叫一声，栽下马来。左右忙把他救回船，说："刘备、诸葛亮正在前面山上饮酒取乐。"周瑜咬牙切齿地说："我非取西川不可！"就命继续前行。来到巴丘，军士报刘封、关平拦住水路，送来诸葛亮的一封信。周瑜拆开一看，诸葛亮的书信言简意赅（言语不多，但意思包括无遗。形容言语简练而意思完整。赅，gāi），说明益州不可轻取，周瑜应撤兵回防，以提防曹操报赤壁之仇。周瑜看罢，长叹一声，写下一封书信给吴侯，唤来众将，说："非不欲尽忠报国，奈天命已绝矣。汝等善事吴侯，共成大业。"说罢昏厥。他醒来后，长叹几声，大叫："既生瑜，何生亮！"叫了几声就死了，年仅三十六岁。众将把遗书报送孙权，周瑜推荐鲁肃接任大都督。孙权大哭，即日命鲁肃接任大都督，总领兵马。

## 成长启示

东吴刘备府内，刘备日渐贪图享乐、精神萎靡。并且对东吴所送的金银珠宝贪得无厌，周瑜对此乐得其成。赵云不满刘备意志消沉的现状，当众与醉醺醺的刘备争吵起来。赵云的行为让我们想起这句话：把自己的缺点告诉你的朋友是莫大的信任，把他的缺点告诉他是更大的信任。

## 要点思考

1. 周瑜为什么要把孙权的妹妹嫁给刘备？

2. 周瑜是怎么被气死的？

## 写作积累

●风驰电掣　假途灭虢　言简意赅

# 第十八回　曹操割须弃袍

**导读**

曹操决定假托天子之诏，命马腾带兵来许昌。马腾到许昌后却中了曹军的埋伏，苦战不敌，终于被曹操拿下斩首。马超领兵为父报仇，曹军被西凉军大败，曹操落荒而逃。一路上，曹操割须弃袍方才躲过了马超的追杀。他到底是怎样割须弃袍的呢？

周瑜死后，曹操又听说伏龙、凤雏（指诸葛亮和庞统）都归到刘备手下，就召众谋士商议南征。荀攸献计，周瑜新死，可先取孙权，后取刘备。曹操担心马腾、韩遂来袭击许昌，荀攸提议把马腾骗到许昌，暗中杀死（为后文马超大战曹操种下诱因）。曹操派人带上假圣旨去西凉召马腾。

马腾字寿成，汉伏波将军马援之后，父名肃，字子硕，桓帝时为天水兰干县尉；后失官流落陇西，与羌人杂处，遂娶羌女生了马腾。马腾身长八尺，体貌雄异，禀性温良，人多敬之。因他讨黄巾有功，拜为征西将军，与镇西将军韩遂结拜为兄弟。他接到圣旨，与马超商议："吾自与董承受衣带诏以来，与刘玄德约共讨贼，不幸董承已死，玄德屡败。我又僻处西凉，未能协助玄德。今闻玄德已得荆州，我正欲展昔日之志，而曹操反来召我，当是如何？"马超说："曹操奉天子之命以召父亲。今若不往，他会指责我们对抗天子。不如乘他召去京师，得便下手，除掉曹操。"马腾的侄子马岱劝道："曹操心怀叵测，叔父若往，恐遭其害。"马超说："儿愿尽起西凉之兵，随父亲杀入许昌，为天下除害，有何不可？"马腾说："汝自统羌兵保守西凉，只叫次子马休、马铁并侄马岱随我同往。曹操见有汝在西凉，又有韩遂相助，谅不敢加害于我也。"马腾就领五千军马，让马休、马铁为前部，马岱在后，往许昌进发。

马腾来到城下，曹操已知马腾的衣带诏之事，命曹洪、许褚、夏侯渊、徐晃分四路杀来。马腾父子奋力冲杀。马铁被乱箭射死，马腾、马休身负重伤，都被活捉。马岱扮作客商，连夜逃回西凉。

马超在西凉州，夜感一梦：梦见身卧雪地，群虎来咬（细节描写，暗示马腾被害）。惊惧而醒，心中疑惑，与手下将官说了梦中之事。庞德说："此梦乃不祥之兆也。"马超问："令明所见若何？"庞德说："雪地遇虎，梦兆殊恶。莫非老将军在许昌有事否？"话没说完，马岱踉踉跄跄进了大帐，跪下就哭："叔父与弟皆死矣！"说出马腾遇难的经过。马超哭昏在地，苏醒后，咬牙切齿地痛骂曹操。这时，刘备的使者来到，马超看了书信，刘备让他攻曹操后路，自领荆州人马牵制曹操，两下夹攻，可除曹操，为马腾报仇。马

超就写下回书，让使者送交刘备。接着点起军马，正准备
出发，韩遂派人请他去一下。他见了韩遂，韩遂出示了曹
操的密信，上面写着："若将马超擒赴许都，即封汝为西凉
侯。"马超说："就请叔叔绑了俺兄弟二人，免受干戈之
劳。"韩遂说："吾与汝父结为兄弟，安忍害汝？汝若兴兵，
吾当相助。"马超拜谢了，韩遂就杀了曹操的使者，点起八
部人马，与马超的人马共二十万，杀奔长安。

　　长安太守钟繇（yáo）向曹操告急，曹操得知失了长安，
慌忙派曹洪、徐晃引一万军火速赶往潼关，替回钟繇，十
日内失了关都杀头。曹仁说："曹洪急躁，怕会误事。"曹
操说："你与我押送粮草，便随后接应。"曹洪、徐晃来到
潼关，坚守不出。马超领兵到关下，大骂曹家祖宗三代。
曹洪忍不住要出战，被徐晃劝下。西凉兵日夜轮流骂，到
第九天，西凉兵都放开马，坐在地上，有人还躺卧着。曹
洪趁徐晃检查粮草，点起三千兵杀下关来。徐晃得知，慌
忙去赶曹洪回关。这时，马岱引兵断了后路，马超、庞德
分两路杀来。曹洪抵挡不住，弃关而逃。庞德随后追赶，
撞见曹仁救了曹洪。

　　曹操兵临潼关，立起三个营寨。次日，两军对阵，曹
操出马于门旗下，看西凉之兵，人人勇健，个个英雄。又
见马超生得面如傅粉，唇若抹朱，腰细膀宽，声雄力猛，
白袍银铠，手执长枪，立马阵前；上首庞德，下首马岱。
暗暗称奇，就说："你是汉朝名将子孙，为什么要反叛？"
马超咬牙切齿地大骂："操贼！欺君罔上（欺骗、蒙蔽君主），罪
不容诛！害我父弟，不共戴天之仇！活捉了生吃你的肉！"

曹操派于禁出马，斗得八九合，于禁败走。张郃出迎，战二十合亦败走。李通出迎，马超奋威交战，数合之中，一枪刺李通于马下。马超把枪往后一招，西凉兵一齐冲杀过来。曹操兵大败。马超、庞德、马岱引百余骑直奔曹操。曹操在乱军中听得西凉兵大喊："穿红袍的是曹操！"曹操慌忙脱下红袍。西凉兵又大叫："长胡子的是曹操！"曹操慌忙拔剑割了胡子。军中有人将曹操割髯之事，告知马超，马超让人喊："短胡子的是曹操！"曹操听了，忙扯了一面旗角包住脖子。曹操逃跑之间，背后一骑赶来，回头一看，正是马超。曹操没办法，围着树绕圈子跑。马超一枪刺去，却刺在树上，待拔下枪再追，曹操已逃远。马超再次赶上，恰在这时，山坡边转过一将，大叫："勿伤吾主！曹洪在此！"曹洪杀来，挡住马超，曹操才得走脱。曹洪眼看要被杀死，夏侯渊领数十骑赶来，围攻马超。马超独自一人，恐被所算，乃拨马而回，夏侯渊也不追赶。

曹操收拾了败兵，坚守营寨，不许出战。马超每天领兵前来骂战，许褚请命向马超下了战书。次日两军对阵，曹操对众将说："马超不减吕布之勇（语言描写，侧面突出马超的勇猛）！"话没说完，许褚拍马舞刀出阵，马超挺枪接战，斗了一百余合，胜负不分。因马匹困乏，各回军中，换了马匹，又出阵前。又斗一百余合，不分胜负。许褚性起，飞回阵中，卸了盔甲，浑身筋突，赤体提刀，翻身上马，来与马超决战。两军大骇。两个又斗到三十余合，许褚奋威举刀便砍马超。马超闪过，一枪往许褚心窝刺来。许褚弃刀将枪夹住。两个在马上夺枪。许褚力大，一声响，拗断枪杆，

各拿半节在马上乱打。曹操怕许褚有失，派夏侯渊、曹洪齐出夹攻。庞德、马岱挥两翼骑兵横冲直撞，杀得曹兵大败，退入寨内。

一天，曹操在城上见马超引百余骑在寨前往来如飞，气得把头盔掷到地上，说："马儿不死，吾无葬地矣！"夏侯渊怒不可遏（愤怒得难以抑制。形容十分愤怒。遏，è），引千余人去战马超。曹操怕他有失，亲自带兵接应。马超正战夏侯渊，见曹操出了寨，撇下夏侯渊，直奔曹操。曹操吓得拨马就走，曹兵大乱。

曹操无计可施，贾诩献出反间计，使马超、韩遂自相残杀，可击败西凉兵。曹操抚掌大笑说："天下高见，多有相合。文和之谋，正是我心中之事也。"

曹操给韩遂送去一封模糊暧昧的信，使得马超疑神疑鬼。韩遂向马超保证，一定诛杀曹操。第二天，两军对阵，曹洪出马，向韩遂施礼说："昨天丞相委托将军的事，别耽误了。"马超大怒，挺枪就刺韩遂。韩遂大怒而回，与手下设计，请马超来赴宴，在席间杀了马超，然后投降曹操。还没商议好，马超已闻讯赶来，挥剑直砍韩遂。韩遂手无兵器，被砍掉左手。五将这时都抽出剑，围攻马超。马超砍死马阮、梁兴，三将逃窜，放起火来。马超再找韩遂，已被人救走。马超连忙上马，庞德、马岱也到，与韩遂军混战一场。突然，曹操四路人马杀来，将马超三人冲散。于禁暗箭射马超，马超闪过，座下的马却被射中了，马超栽到地上。正危急时，庞德、马岱杀来，救下马超。三人杀条血路，奔西北去了。

**成长启示**

曹操率军与马超在潼关交兵，曹军被打败后马超追击曹操时，曹操为了不被认出来，把胡须割掉，把长袍丢弃。曹操应该感到幸运，因为在人的一生中，有时某些成就恰恰是在逆境中创造出来的；有时当形势严峻到极难对付时，人们就会去掌握自己的命运，去战胜厄运。

**要点思考**

1. 曹操为什么要杀马腾？

2. 曹操是在什么情况下做出割须弃袍之举的？

**写作积累**

●又见马超生得面如傅粉，唇若抹朱，腰细膀宽，声雄力猛，白袍银铠，手执长枪，立马阵前；上首庞德，下首马岱。

●许褚性起，飞回阵中，卸了盔甲，浑身筋突，赤体提刀，翻身上马，来与马超决战。

# 第十九回　关羽单刀赴会

**导读**

孙权决定派诸葛瑾前去成都，向诸葛亮讨要荆州。如讨要不回，便斩杀诸葛瑾全家。诸葛亮向刘备恳请归还荆州，刘备决定先归还荆州三郡，日后奉还荆州。不料，关羽拒不归还三郡，还打伤了前去赴任的东吴官员。鲁肃带病亲自前去与关羽商谈三郡交割事宜，关羽只身前来赴会。难道关羽就不怕有危险吗？

再说江东这边，孙权听说刘备取了益州，便想讨回荆州。张昭献计，扣押诸葛亮的哥哥——诸葛瑾的家属为人质，让诸葛瑾到成都找弟弟讨荆州。诸葛亮得知消息，与刘备演了一场戏，把事情推到关羽身上。让诸葛瑾到荆州找关羽讨要。

诸葛瑾来到荆州见关羽，呈上刘备的书信，说："皇叔许诺先以三郡归还东吴，望将军即日交割，令瑾好回见吾主。"关羽变了脸，说："吾与吾兄桃园结义，发誓共同匡扶汉室。荆州本大汉疆土，岂能以尺寸之地交与别人？将在外，君命有所不受。虽吾兄有书来，我却只不还。"诸葛瑾哀求："今吴侯执下瑾老小，若不得荆州，必将被诛。望将军怜之！"关羽拔出剑来，说："这是吴侯的诡计。再不走，我先杀你！"关平劝说："军师面上不好看，望父亲息怒。"关羽说："要不是看在军师面上，叫你回不得东吴！"诸葛瑾只得再去西川，诸葛亮却到外地巡视去了。诸葛瑾只好回东吴，如实告诉孙权。孙权就招来鲁肃，责怪他："子敬昔为刘备作保，借吾荆州；今刘备已得西川，不肯归还，子敬岂得坐视？"鲁肃说："肃已思得一计，正欲告主公。我屯兵陆口，请关羽赴宴，他还荆州就罢了，不还就杀掉他。"阚泽说："不可，关云长乃世之虎将，非等闲可及。恐事不谐，反遭其害。"孙权就让鲁肃快办。

关羽接到鲁肃的请帖，对使者说："既然子敬请我，明天我一定去。"关平、马良都认为宴会是鲁肃的阴谋，劝关羽不能去。关羽毫不在意，说："当年赵国的蔺相如，手无缚鸡之力（捆鸡的力量。比喻体弱无力），在渑（miǎn）池会上还能胜过秦王，何况我能力敌万人！既已许诺，不可失信。"马良说："鲁肃虽有长者之风，但今事急，不容不生异心。将军也该有所准备。"关羽说："只要准备快船十只，藏五百水军，见我摇红旗，就过江接我。"关平忙去做准备。

使者回报鲁肃，鲁肃与吕蒙商议："他答应了，接下来该怎么办？"吕蒙说："他要是带军马来，我与甘宁各领一支人马埋伏在岸边，放炮为号，准备厮杀。他要是不带军马，在庭后埋伏五十名刀斧手，在酒筵上杀了他。"鲁肃依计做好准备。

第二天，鲁肃派人在岸口观望，不多时，只见江上过来一只船，上面只有几名水手，一面红旗，风中招展，显出一个大"关"字来。船渐近岸，见关羽头戴青巾，身穿绿袍坐在船上；旁边站着周仓，手里捧着大刀；身后八九个关西大汉，各跨腰刀一口（外貌描写，突出关羽单刀赴会）。鲁肃惊疑不定，把关羽接上大堂，行了礼，入席饮酒。他心怀鬼胎，不敢抬头。关羽却谈笑风生，旁若无人。

待喝得差不多了，鲁肃才话入正题："有一句话要告诉君侯，当日令兄皇叔，使肃在吾主之前作保，借荆州暂住，约定取川之后归还。如今西川已得，而荆州未还，莫非要失信吗？"关羽说："此是国家之事，酒席上不谈论这个。"鲁肃说："皇叔已答应先割三郡，而到了君侯这里又不从，恐怕理上说不过去。"关羽说："这是吾兄之事，不是我所能决断的。"鲁肃说："我听说君侯与皇叔桃园结义，誓同生死。皇叔即君侯也，又何必推托呢？"关羽还没回答，周仓在下面大声说："天下土地，唯有德者居之。岂是你东吴独有的！"关羽变了脸色，夺下周仓手里的大刀，呵斥他说："这是国家大事，不许你多嘴。给我退下！"周仓会意，来到江边，把红旗一摇，关平率船队如飞赶来。关羽假装酒醉，右手提大刀，左手挽鲁肃，说："公今请我赴宴，莫要再提起荆州之事。我现在已醉了，恐伤故旧之情。他日请公到荆州赴会，再作商议。"鲁肃吓得魂不附体，被关羽扯到江边。吕蒙、甘宁各引本部士兵想要冲出来，见关羽手提大刀，亲握鲁肃，怕关羽伤了鲁肃，遂不敢动。关羽来到船边，这才放手，立在船头，与鲁肃作别。鲁肃如痴似呆，眼睁睁看着关羽上了船，乘风驶去。

## 成长启示

关羽的单刀赴会，不是逞一时之能的匹夫之勇，而是真正意义上的大勇。真正的勇气，来自坚韧不拔的精神，来自敢于担当的魄力，还来自高尚的德行。逞匹夫之勇，只会给自己带来伤害；而拥有真正的勇气，才可以成就卓越的人生。

## 要点思考

1.鲁肃为什么要请关羽过江赴会？

2.关羽单刀赴会表现了什么？

## 写作积累

●船渐近岸，见关羽头戴青巾，身穿绿袍坐在船上；旁边站着周仓，手里捧着大刀；身后八九个关西大汉，各跨腰刀一口。

●吕蒙、甘宁各引本部士兵想要冲出来，见关羽手提大刀，亲握鲁肃，怕关羽伤了鲁肃，遂不敢动。

# 第二十回　杨修逞才丧命

**导读**

曹操以"造言乱军"的罪名诛杀杨修可谓堂堂正正，无可指责——杨修实在是罪有应得。就事论事，不过如此，真是简单得很。实际是那么回事吗？

建安二十三年七月，曹操让夏侯惇为先锋，曹休押后，自领中军，曹操骑白马金鞍，玉带锦衣；武士手执大红罗销金伞盖，左右金瓜银钺（yuè，古代兵器，青铜制，像斧，比斧大，圆刃可砍劈，中国商代及西周盛行），镫棒戈矛，打日月龙凤旌旗；护驾龙虎官军二万五千，分为五队，每队五千，按青、黄、赤、白、黑五色，旗幡甲马，并依本色，光辉灿烂，极其雄壮。兵出潼关，攻取汉中。行兵路上，曹操远远望见一片树林，问："这是什么地方？"左右说："这里是蓝田。树林中有蔡邕的庄院，他女儿蔡琰与丈夫董祀住在这里。"曹操与蔡邕关系很好，蔡邕被王允杀死后，蔡琰先是卫仲道之妻，后被北方匈奴掳去，在北地生了二子，作《胡笳十八拍》，流入中原。曹操深怜之，使人持千金入北方赎之。匈奴左贤王惧曹操之势，送蔡琰还汉。曹操乃配与董祀为妻。曹操让人马先行，带百余随从来到庄上。当时董祀在外做官，蔡琰把曹操迎进庄，曹操见墙上挂着一轴碑文拓片，仔细看了。蔡琰说："此乃曹娥之碑也。昔和帝时，上虞有一巫者，名曹盱，能婆婆乐神；五月五日，醉舞舟中，坠江而死。其女年十四岁，绕江啼哭七昼夜，跳入波中；后五日，负父之尸浮于江面；里人葬之江边。上虞令度尚奏闻朝廷，表为孝女。度尚令邯郸淳作文镌（juān，雕刻）碑以记其事。时邯郸淳年方十三岁，文不加点，一挥而就，立石墓侧，时人奇之。妾父蔡邕闻而往观，时日已暮，乃于暗中以手摸碑文而读之，索笔大书八字于其背。后人镌石，并镌此八字。"曹操看那八个字是："黄绢幼妇，外孙齑臼（jī jiù）。"问："你知道是什么意思？"蔡琰说："不知道。"他问众谋士："你们谁知道？"众人都摇头，只杨修说："我已猜出来了。"曹操说："卿且勿言，容吾思之。"就告辞出庄，走了三里，他才恍然大悟，让杨修说出答案。杨修说："黄绢乃颜色之丝也：色傍加丝，是绝字。幼妇者，少女也：女旁少字，是妙字。外孙乃女之子也：女傍子字，是好字。齑臼乃受五辛之器也：受旁辛字，是辞字。总而言之，是绝妙好辞四字。"曹操大惊说："正合孤意。"众人都羡慕杨修才识之敏。

曹操兵至南郑，派夏侯渊进兵。夏侯渊派夏侯尚出战，与黄忠交手只一回合，就被黄忠擒去。夏侯渊拍马来战黄忠，刚战二十回合，夏侯渊措手不及，被黄忠一刀连头带肩砍为两截。曹操得知夏侯渊战死，放声痛哭，命徐晃为先锋，亲领大军找黄忠报仇，又命张郃、杜袭把米仓山的粮草转移到北山寨中。

黄忠请命去烧曹操粮草，诸葛亮让赵云协助他，看谁立功。黄忠不听赵云的建议，反被张郃、徐晃领兵包围。赵云等到午时，不见黄忠回来，带上三千兵马，前去接应。正走着，慕容烈拦路，被他一枪刺死。又往前走，遇焦炳拦路，又被他一枪刺死。他冲到北山下，见张郃、徐晃领兵围攻黄忠，大喝一声，挺枪骤马，杀入重围，左冲右突，如入无人之境。那枪浑身上下，若舞梨花；遍体纷纷，如飘瑞雪（比喻句，形容赵云的武艺非凡）。张郃、徐晃胆战心惊，不敢迎敌。赵云救出黄忠，边战边走，所到之处，无人敢挡。曹操在山上看到，惊问："这是谁？"左右说："此乃常山赵子龙也。"曹操说："昔日当阳长坂英雄尚在！"忙下令："所到之处，不许轻敌。"赵云杀透重围，又救出张著。所到之处，但见"常山赵云"四字旗号，曾在当阳长坂知其勇者，互相传说，曹兵四散逃命。曹操大怒，亲自领兵追赶赵云。赵云回寨，张翼要关寨门，赵云说："休闭寨门！你难道不知道我在当阳长坂时，单枪匹马，觑曹兵八十三万如草芥！今有军有将，又何惧哉！"就派弓弩手埋伏到寨外壕沟中，把营内旗帜全放倒，单枪匹马，立在营门外。张郃、徐晃追到蜀寨，天色已晚，见寨中偃旗息鼓，寨门大开，赵云立在营外，不敢前进。曹操赶到，下令冲杀。曹兵见赵云岿然不动（形容高大坚固，不能动摇。岿，kuī），吓得转身就逃。赵云把枪一招，弓弩齐发，曹操拨马就跑。刘备得报，对诸葛亮说："子龙一身都是胆也！"就封赵云为"虎威将军"，大赏将士。

曹操退守阳平关，屯兵日久，想进军前路被挡，想退兵又怕蜀兵耻笑。心中犹豫不决。恰好厨师送来鸡汤，曹操见碗中有鸡肋，因而有感于怀。正沉吟间，夏侯惇来请示夜间口令，曹操随口说："鸡肋！鸡肋！"夏侯惇传令，口令为"鸡肋"。行军主簿杨修就让手下军士收拾行李，准备回家。夏侯惇得报，问："你为什么收拾行李?"杨修说："以今夜号令，便知魏王不日将退兵归也。鸡肋者，食之无肉，弃之有味。今进不能胜，退恐人笑，在此无益，不如早归。来日魏王必班师矣。故先收拾行装，免得临行慌乱。"夏侯惇说："公真知魏王肺腑也!"也去收拾行装。于是寨中众将都准备回家。当夜曹操心乱，不能稳睡，遂手提钢斧，绕寨私行。只见夏侯惇寨内军士，各准备行装。曹操大惊，急回帐召夏侯惇问其原因。夏侯惇说："主簿杨修知大王欲归之意。"曹操唤杨修来问，杨修以鸡肋之意应对。曹操大怒说："你怎敢造言乱我军心!"喝令刀斧手把杨修推出斩了，将首级号令于辕门外。

　　原来杨修为人恃才放旷，数犯曹操之忌（插叙杨修被杀的原因）：曹操建造一所花园，造成后，曹操前去观看，不置褒贬，只取笔于门上写了一个"活"字而去。众人都不知其意。杨修说："门内添活字，乃阔字。丞相是嫌园门阔。"改造停当，又请曹操观看。曹操大喜，问："谁知我的心意?"左右说："是杨修。"曹操虽口上称赞，心甚忌之。又一天，塞北送酥一盒给曹操。曹操写了"一合酥"三个字在盒上，置之案头。杨修见了，竟取匙与众人分吃了。曹操问他原因，杨修说："盒上明书一人一口酥，岂敢违丞相之命乎?"曹操虽笑，而心恶之。曹操害怕有人暗中谋害己身，常吩咐左右："我梦中好杀人。我要睡着了，你们切勿近前。"一天，曹操盖的被子落在地上，一近侍拾起，准备给曹操盖上。曹操跃起拔出剑把他杀了，又上床睡了。半响而起，假装吃惊地问："谁杀了我的近侍?"大家以实对。曹操痛哭，命厚葬。人们都以为是曹操梦中杀人，唯有杨修知其意，临葬时叹气说："丞相非在梦中，君乃在梦中耳！"曹操听说了，更厌恶他了。

曹操第三子曹植，爱杨修之才，常邀杨修谈论，终夜不息。曹操想立曹植为世子，经常考校（考察比较。校，jiào）曹丕、曹植兄弟，杨修暗猜曹操心思，帮助曹植次次顺利过关。曹丕使人向曹操告密，曹操得知后大怒："匹夫安敢欺我耶！"此时已有杀杨修之心。如今借惑乱军心之罪杀了他。杨修死时三十四岁。后人有诗曰："聪明杨德祖，世代继簪缨（zān yīng，古代达官贵人的冠饰）。笔下龙蛇走，胸中锦绣成。开谈惊四座，捷对冠群英。身死因才误，非关欲退兵。"

### 成长启示

杨修恃才放旷，为显示自己的聪明才智，置军纪于不顾，一闻"鸡肋"就自动收拾行装，并煽动其他人也作归计，因此，他的被杀是咎由自取。所以说，我们绝不要陷于骄傲。因为一骄傲，我们就会在应该同意的场合固执起来；因为一骄傲，我们就会拒绝别人的忠告和别人的帮助；因为一骄傲，我们就会丧失客观标准。

### 要点思考

1. 曹操为何要把他称赞的杨修杀了？
2. 杨修的死说明了什么？

### 写作积累

● 草芥　岿然不动　考校

● 那枪浑身上下，若舞梨花；遍体纷纷，如飘瑞雪。

# 第二十一回　刮骨疗毒

**导读**

关羽首战失利，身受箭伤。又带伤查看庞德的军阵，决定放水破敌，结果大胜。没几天关羽箭伤复发，华佗前来为其疗伤。关羽命华佗刮骨疗伤，关羽能忍受住吗？

**曹**操派人去东吴，劝说孙权攻打荆州，曹操取两川（东川和西川的合称），打败刘备，两家平分土地。孙权召众谋士商议。顾雍提议，一面答应曹操，一面派人去荆州侦探关羽的动静。诸葛瑾说："云长有一子一女。我去为主公的世子向他女儿求婚，他答应了，我们就和刘备联合抗曹，他不答应，我们就和曹操联合击刘。"孙权先送满宠回许昌，然后派诸葛瑾去荆州。诸葛瑾见到关羽，说是代孙权的儿子向关羽的女儿求婚。关羽大怒，骂道："吾虎女安肯嫁犬子乎！不看你弟弟的面子，我一刀杀了你（关羽的傲气为后文命丧东吴大将之手埋下伏笔）！"命左右把他赶走。诸葛瑾抱头鼠窜，见到孙权一五一十地说了。孙权大怒，说："太无礼了！"就要进攻荆州。步骘（zhì）说："曹操让我们进攻荆州，是想嫁祸于我们。曹仁现在屯兵于襄阳、樊城，又无长江之险，旱路可取荆州；他们如何不取，却令主公动兵？只此便见其心。主公可遣使去许都见曹操，令曹仁旱路先起兵取荆州，云长必擎荆州之兵而取樊城。若云长一动，主公可遣一将，暗取荆州，一举可得矣。"孙权听从他的计策，派使者到许昌，曹操就派满宠为参谋，前往樊城助曹仁动兵，一面让东吴水路出兵。

刘备得知此事，请教诸葛亮，诸葛亮让派人给关羽送封赏，命令他取樊城，敌军攻势自然瓦解。就派前部司马费诗为使，前往荆州。关羽问："汉中王封我何爵？"费诗说："五虎大将之首。""哪五虎将？""关、张、赵、马、黄是也。"关羽动了怒，说："张飞是我弟弟，马超出身名门，赵云跟我哥哥多年，也是我弟弟。黄忠这老家伙算什么，敢跟我平起平坐？大丈夫终不与老卒为伍（对同僚的看不起，为下文被害时无人来救做铺垫）？"费诗笑着说："将军差矣。当年萧何、曹参跟汉高祖同时起义，不曾封王，而韩信是从楚霸王那里投奔来的，却封了王，萧、曹并不抱怨。今汉中王虽有五虎将之封，而与将军有兄弟之义，视同一体。将军即汉中王，汉中王即将军也。怎与别人相同？将军受汉中王厚恩，当与同休戚、共祸福，不宜计较官号之高下。愿将军熟思之。"关羽这才接受了封号。便令廖化为先锋，关平为副将，自领中军，马良、伊籍为参谋，一同征进。胡华之子胡班，到荆州来投关羽。关羽念其旧日相救之情，甚爱之。令他随费诗入川，见汉中王受爵。费诗辞别关羽，带了胡班，自回蜀中去了。

且说关羽这天祭了"帅"字大旗，在帐中休息。忽见一只猪，其大如牛，浑身黑色，奔入营帐中，直接去咬关羽之足。关羽大怒，急拔剑斩之，声如裂帛。霎然惊醒，原来是一场梦。曹仁听说关羽兵到，想坚守不战。副将翟元却认为关羽是来送死，不听满宠的劝，要出兵迎敌。曹仁就听了他的，让满宠守樊城，领兵迎敌。关羽派廖化、关平出战，兵败二十里。第二天，关羽又败二十里。曹仁正追廖化、关平，忽听后面战鼓震天，慌忙回军，却被关羽拦住去路。曹仁不敢交战，抄小路奔回襄阳，夏侯存被关羽一刀砍死，翟元也被关平砍死。关羽趁势掩杀，曹兵大半淹死襄江，曹仁只好退守樊城。

关羽得了襄阳，赏军抚民。随军司马王甫建议提防东吴，关羽让他到江边，每隔二三十里，修筑一个烽火台，每台派五十人看守。吴兵若渡江，夜间放火，白天放烟。

曹仁退守樊城，派人连夜到许昌求救兵。曹操就封于禁为征南将军，庞德为先锋。发七路人马，前往樊城。

关羽听说于禁来救樊城，庞德抬棺来决死战，不由大怒，让廖化去攻樊城，亲自去战庞德。斗有五十余回合，庞德回马就走。关羽边赶边骂："我能怕你施拖刀计？"庞德却一箭射来，正中关羽左臂。关平杀出，救回关羽。庞德要赶，于禁却妒忌他立功，鸣金收兵。庞德功败垂成，悔恨不已。

关羽伤好，派人打听，于禁的营寨下在罾（zēng）口川，不由大喜，说："鱼入罾口，岂能久乎？"当时正值八月，下了几天大雨，关羽就让部下准备船筏。关平不知用处，关羽说："非汝所知也。于禁七军不屯于广易之地，而聚于罾口川险隘之处；方今秋雨连绵，襄江之水必然泛涨；吾已差人堰住各处水口，待水发时，乘高就船，放水一淹，樊城罾口川之兵皆为鱼鳖矣。"督将成何建议于禁把军队移到高地，于禁不听。当天夜里，风雨大作，庞德听见万马争奔，征鼙（pí，古代军中的一种小鼓）震地，出帐一看，大水铺天盖地淹下来。七军争相逃命，淹死无数，于禁、庞德与众将各登小山躲避。天色刚亮，关羽领兵乘船杀来。于禁见四下无路，投降关羽。庞德被押上来，关羽劝他投降，他破口大骂，关羽命令把他斩首，安葬了他的尸体。关羽乘水未退，再来攻樊城。曹仁见水势浩大，城墙渐渐泡塌，就想乘船逃命。满宠建议不可，曹仁便决心守城。关羽分兵一半抵郏下，领兵攻打樊城，喝叫曹仁投降。曹仁一声令下，弓弩齐发，关羽左臂中箭，被人救回。

关羽回寨，拔下箭，箭上有毒，左臂已经青肿。关平与众将想送关羽回荆州治疗，关羽不听，反斥关平怠慢军心。关平见他不肯退兵，只好到处遍访名医。一天，一个老人从江东来到寨前，自称华佗，听说关羽负伤，赶来医治。与众将同引华佗入营帐见关羽。时关羽本是臂疼，恐慢军心，无可消遣，正与马良下棋，华佗看了伤处，说：

"此乃弩箭所伤，其中有乌头之药，直透入骨；若不早治，此臂无用矣。"关羽问："用何物治之?"华佗说："某自有治法，但恐君侯惧耳。"关羽笑着说："吾视死如归，有何惧哉?"华佗说："当在静处立一标柱，上钉大环，请君侯将臂穿于环中，以绳系之，然后以被蒙其首。吾用尖刀割开皮肉，直至于骨，刮去骨上箭毒，用药敷之，以线缝其口，方可无事。但恐君侯惧耳。"关羽说："这样容易，不用铁环。"就摆酒席款待华佗。他喝了几杯，边跟马良下棋，边伸臂让华佗医治。华佗取出尖刀，让小校捧盆在下面接血。他割开皮肉，见骨头已发青，就嚓嚓地刮起来。关羽边喝酒吃肉，边谈笑下棋，全无痛苦之色。不一会儿，华佗刮尽毒，敷上药，缝合伤口。关羽大笑着说："胳膊一点也不疼了，先生真是神医!"华佗说："我行医一辈子，也没见过这样能忍疼痛的，将军真是神人(侧面描写，通过医生之口赞叹关羽的坚强意志)!"

关羽盛宴酬谢华佗，华佗叮嘱："君侯箭疮虽治，然须爱护。切勿怒气伤触。过百日后，平复如旧矣。"关羽拿出一百两黄金酬谢，华佗说："某闻君侯高义，特来医治，岂望报乎!"坚辞不受，留了一帖药就走了。

成长启示

刮骨声仍在沙沙作响。众人屏住声息无一点动静，华佗郑重地缝完最后一针，闭上双目静默了许久，仿佛非如此无法从刚经受的空前激动中解脱出来，同时也佩服关羽的坚韧。成大事不在于力量的大小，而在于能坚持多久。无论是伟人还是普通人，只要有坚强的意志，他便可以做出成就来。事业虽有大小不同，可是那种坚强的心力是一样的，都会令人佩服。

## 要点思考

1. 关羽在什么情况下中了毒箭？
2. 神医华佗是怎样给关羽疗伤的？

## 写作积累

●当天夜里，风雨大作，庞德听见万马争奔，征鼙震地，出帐一看，大水铺天盖地淹下来。

●他割开皮肉，见骨头已发青，就嚓嚓地刮起来。关羽边喝酒吃肉，边谈笑下棋，全无痛苦之色。

# 第二十二回　败走麦城

**导读**

关羽军兵败如山倒。曹操命人对关羽只击不杀，欲将祸水引向东吴。吕蒙率兵对关羽紧追不放，关羽败走麦城。吕蒙杀敌心切，终将关羽拦截下，关羽的命运最终会如何呢？

**曹**操听说关羽擒了于禁，斩了庞德，不由大惊，就派人致书孙权，又派徐晃领兵五万，去救应樊城。

孙权接到曹操的书信，聚文武商议。张昭说："近闻云长擒于禁，斩庞德，威震华夏，曹操欲迁都以避其锋（关羽的声威显赫，与后文被害形成对比）。今樊城危急，遣使求救，事定之后，恐有反复。"孙权还没发言，忽报吕蒙乘小舟自陆口来，有事面禀。孙权让他进来，吕蒙建议孙权可直取荆州。经过一番商议，吕蒙回到陆口，探子来报说，江对岸每隔二三十里就修了一座烽火台，早有准备。吕蒙无计可施，就托病不出。

陆逊建议吕蒙干脆回去养病，把都督之位让给他。因他年轻没有名气，关羽必不防他，他就可用奇计袭取荆州。吕蒙依计上书辞职。孙权召回吕蒙，问："当年周公瑾荐鲁子敬代替他，鲁子敬又荐你代替他，你也得荐人代替你。"吕蒙说："若用望重之人，云长必然提备。陆逊意思深长，而未有远名，非云长所忌；用他来代替我，必有益处。"孙权就封陆逊为偏将军，右都督。陆逊到了陆口，先备一份厚礼，派人往樊城送给关羽。关羽收了礼，嘲笑孙权没见识，竟用这小子为大将。使者连连叩拜，请关羽看过去的面子，两家保持和好。

使者回见陆逊，说关羽不再提防东吴。陆逊派人打听，关羽已把荆州大半人马调到樊城，只等伤好就全力攻打。他就报知孙权，孙权与吕蒙商议："今云长果撤荆州之兵，攻取樊城，便可设计袭取荆州。卿与吾弟孙皎同引大军前去，何如？"孙皎字叔明，是孙权叔父孙静的次子。吕蒙说："主公若以蒙可用则独用蒙；若以叔明可用则独用叔明。岂不闻昔日周瑜、程普为左右都督，事虽决于周瑜，然而程普以旧臣而居，相处不和睦；后来因见周瑜之才，方才敬服。如今我之才不及周瑜，而叔明之亲胜于程普，恐未必能相济也。"孙权大悟，遂拜吕蒙为大都督，总制江东诸路军马，令孙皎在后接应粮草。吕蒙选水性好的士兵换上白衣，扮成商人，在外面摇橹，精兵都埋伏在船舱里。船抵北岸，烽火台的士兵来盘问，吴军说："我们是商人，因江上风大，避一避风。"又献上许多礼物。守军就让船停到江边。到了半夜，精兵拥出，把烽火台的军士捆了，然后长驱直入，骗开荆州城门，没动一刀一枪，就收了荆州。吕蒙下令：如有妄杀一人，妄取民间一物者，定按军法。

关平报告关羽说，听到传言说荆州已失。关羽不信，认为陆逊根本没这么大的本领，这是谣传（细节描写，表现了关羽的自大）。正说着，徐晃来挑战，关平劝关羽伤未痊愈，不可出战。关羽自认为和徐晃有交情，不必担忧，就出马迎敌。二人见了面，关羽还想跟徐晃套交情，徐晃却翻脸无情，举斧杀出。关羽与他大战八十回合，却因伤臂无力，渐渐不敌。关平忙鸣金收兵，曹仁见救兵来到，开城杀出，与徐晃前后夹攻，关羽急渡过襄江，望襄阳而奔。忽流星马到，报说："荆州已被吕蒙所夺，家眷被陷。"关羽大惊。不敢进襄阳，投奔公安。探子来报："公安傅士仁已降东吴了。"关羽大怒。忽催粮人到，报说："公安傅士仁往南郡，杀了使命，招糜芳都降东吴去了。"关羽大叫一声，箭伤逬发，昏倒在地。众将把他救醒，他对王甫说："悔不听足下之言，今日果有此事！"又问："烽火台为什么不点火？"探子说："吕蒙使水手尽穿白衣，扮作客商渡江，将精兵伏于船中，先擒了守台士卒，因此不得举火。"关羽跺着脚说："我中了奸计，有什么脸见哥哥！"赵累说："事情紧急，可一面派人向成都求救，一面从旱路取荆州。"关羽就派马良、伊籍立即赴成都，一面领兵去夺荆州。

樊城围解，曹仁引众将来见曹操，泣拜请罪。曹操说："此乃天数，非汝等之罪也。"重赏了徐晃。关羽派使者前去荆州责备吕蒙违背两家的盟约，吕蒙用计离间关羽手下将士之心。关羽向荆州进军，一路上将士大量逃亡，他更加愤怒。不小心陷入东吴的埋伏，战到天晚，荆州兵都逃散了，手下仅剩三百多人。关平、廖化杀进重围，救出关羽，先退到麦城。赵累建议向刘封、孟达求救，廖化自告奋勇，杀出重围，来到上庸。刘封本来想出兵，听了孟达的挑拨，就借口上庸人心不稳，拒绝发兵（从侧面表现了关羽与同僚相处不和睦）。廖化连连叩头，孟达只是不许。廖化痛哭求告，二人却退入后堂。他大骂着离开上庸，飞马奔成都。

　　关羽困守麦城，望穿双眼也不见上庸的救兵，城中粮草也已吃完。诸葛瑾进城劝降："今奉吴侯命，特来劝谕将军。自古道识时务者为俊杰，今将军所统汉上九郡，皆已属他人；内无粮草，外无救兵，危在旦夕。将军何不从瑾之言，归顺吴侯，复镇荆襄，可以保全家眷。幸君侯熟思之。"关羽正色而言："我本是解良一武夫，蒙吾主以手足相待，安肯背义投敌？城若破，有死而已。玉可碎而不可改其白，竹可焚而不可毁其节，身虽殒，名可垂于竹帛也。汝勿多言，速请出城，我与孙权决一死战！"关平拔剑欲斩诸葛瑾。关羽说："他弟诸葛亮在蜀，辅佐你伯父，今若杀他，伤其兄弟之情。"遂令左右逐出诸葛瑾。诸葛瑾满面羞惭，上马出城，回见孙权："关羽心如铁石，不可说也。"孙权说："真忠臣也！"吕蒙、朱然领五千兵去小路埋伏，再命潘璋领兵五百去临沮山小路埋伏，必擒关羽。

　　关羽果然中了埋伏，伏兵伸出挠钩套索，把赤兔马绊倒，关羽栽下来，被马忠活捉。关平赶来援救，被潘璋、朱然率兵围困，孤身奋战，力尽被擒。天明后，关羽父子被押去见孙权。孙权喜爱关羽的忠义勇敢，仍想收服他，与众人商议："云长世之豪杰，孤深爱之。今欲以礼相待，劝他归降，如何？"主簿左咸说："不可。昔日曹操得此人时，封侯赐爵，三日一小宴，五日一大宴，上马一提金，下马一提银；如此恩礼，还留之不住，听任他斩关杀将而去，致使今日反为所逼，几欲迁都以避其锋。今主公既已擒之，若不即除，恐贻后患。"孙权沉吟半晌，说："你说的是。"遂命推出斩首。建安二十四年冬十二月，关羽父子被害，关羽当时五十八岁。孙权把赤兔马赐给马忠，那马竟绝食死了。吴兵拿着关羽父子的人头到麦城劝降，王甫大叫一阵，跳城自杀，周仓拔剑抹了脖子。后人有诗叹道："汉末才无敌，云长独出群。神威能奋武，儒雅更知文。天日心如镜，《春秋》义薄云。昭然垂万古，不止冠三分。"

## 成长启示

吕蒙用计乱蜀军军心，关羽被迫弃城出走，途中却中了吴军的埋伏，父子被擒。孙权爱关羽义勇无双，欲劝其归降。主簿左咸以曹操之事说之。孙权沉吟无语，终于点点头，一代名将，万世英雄的关羽便在雪后初晴之时，大义凛然、步履从容地走向生命的终点。庸庸碌碌、心安理得地过下去是不道德的，而自动从战斗中退缩的人则是懦夫。关羽没有退缩，所以他是英雄。

## 要点思考

1. 东吴方面是怎样骗过了关羽？

2. 关羽是如何失败的？

## 写作积累

●玉可碎而不可改其白，竹可焚而不可毁其节，身虽殒，名可垂于竹帛也。

# 第二十三回　害神医曹操身死

**导读**

曹操头痛病日益严重，华歆举荐华佗为其诊治，华佗诊断曹操头痛因患风而起，可先饮麻肺汤，然后用利刃打开头颅，取出风涎，即可根治。曹操闻之大怒，认为华佗与关羽交情甚厚，要乘机杀他给关羽报仇，便将其下入大狱，华佗能够平安逃脱吗？

孙权得了荆襄九郡，大宴众将。请吕蒙上坐，吕蒙突然揪住孙权大骂：“碧眼小儿！紫髯鼠辈！还识我否？”众将大惊，吕蒙推倒孙权，坐在孙权位子上，两眉倒竖，双眼圆睁，大喝：“我自破黄巾以来，纵横天下三十余年，今被你以奸计图害我，我生不能吃你之肉，死当追吕贼之魂！我乃汉寿亭侯关云长也。”孙权和众将都吓得跪拜在地。吕蒙骂着，跪倒地上，七窍流血而死。

孙权依计用木匣盛上关羽的头，送给曹操。曹操高兴地说：“云长已死，我能睡安稳觉了。”司马懿认为这是江东移祸之计，曹操省悟，问：“这该怎么办？”司马懿说：

"此事极易。大王可将关羽首级，刻一香木之躯以配之，葬以大臣之礼；刘备知之，必深恨孙权，尽力南征。我却观其胜负！蜀胜则击吴，吴胜则击蜀。二处若得一处，那一处亦不久也。"曹操听从，打开木匣，见关羽面目如生，开玩笑说："云长公别来无恙！"关羽忽然张口动眼，须发俱张，把曹操吓昏。众官把他救醒，醒后对众官说："关将军真天神也！"吴使又将关羽显圣附体、骂孙权追吕蒙之事告知曹操。曹操愈加恐惧，设大礼祭拜了关羽，用王侯的礼节把关羽埋葬在洛阳南门外。

曹操自葬了关羽，一合眼便见关羽，很是恐惧。发了头风病，怎么也治不好。华歆入奏："大王知有神医华佗否？"曹操说："可是江东医周泰的人？"华歆说："是的。"曹操说："虽闻其名，未知其术。"华歆说："华佗字元化，沛国谯郡人。医术之妙，世所罕有。但有病者，或用药，或用针，或用灸，随手而愈。若病在五脏六腑，药不能治者，以麻肺汤饮之，病者就像醉死一样，用尖刀剖开其腹，以药汤洗其脏腑，病人一点也没有疼痛。洗完后，以药线缝口，用药敷之；或一月，或二十日，即平复矣。有一天，华佗在路上走，听见一人呻吟之声。华佗说：此饮食不下之病。一问果然是。佗令取蒜齑汁三升饮之，吐出小蛇一条，长二三尺，再吃饭就没事了。广陵太守陈登，心中烦懑（mèn，烦闷，生气），面红，不能吃饭，求华佗医治。佗以药饮之，吐虫三升，都是红头，首尾动摇。陈登问他是什么，华佗说：此因多食鱼腥，故有此毒。今日虽好了，三年之后，必将复发，不可救也。陈登果然三年后而死。又有一人眉间生一瘤，痒不可当。华佗说：里面有飞物。大家不信，都笑他。佗以刀割开，一只黄雀飞去，病者即刻好了。有一人被狗咬了脚趾，随后长出两块肉，一痛一痒，俱不可忍。华佗说：痛者内有针十个，痒者内有黑白棋子二枚。大家都不信。佗以刀割开，果应其言。此人真扁鹊，仓公（淳于意曾任齐太仓令，故又称仓公。精医道，辨证审脉，治病多验）之流，现居金城，离此不远，大王何不召他前来？”

曹操派人连夜请来华佗。华佗为曹操诊了脉，说："大王头脑疼痛，因患风而起。病根在脑袋中，风涎不能出，枉服汤药，不可治疗。某有一法：先饮麻肺汤，然后用利斧砍开脑袋，取出风涎，方可除根。"曹操动了疑，怒问："你想杀孤王（语言描写，突出曹操多疑的性格）？"华佗说："大王曾闻关羽中毒箭，伤其右臂，某刮骨疗毒，关羽略无惧色；今大王小可之疾，何多疑焉？"曹操说："臂痛可刮，脑袋安可砍开？你要为关羽报仇，谋害孤王！"就命人把华佗下狱，严刑拷问。贾诩劝他不可如此对待名医，曹操却认为华佗与吉平没两样。

有位吴押狱每日以酒食供奉华佗。华佗感其恩，对他说："我今将死，恨有《青囊书》未传于世。感公厚意，无可为报；我修一书，公可遣人送与我家，取《青囊书》来赠公，以继吾术。"吴押狱大喜："我若得此书，弃了此役，医治天下病人，以传先生之德。"没过几天华佗就遇害了。吴押狱买棺埋葬了华佗，辞了差使，回到家，他妻子正烧《青囊书》。他连忙去抢，只抢得几支残简。他妻子说："纵然学得与华佗一般神妙，只落得死于牢中，要他何用！"吴押狱只好长叹。那一两页上剩下的只有阉鸡、劁猪的小医术，使华佗的绝技失传。

曹操杀了华佗，病情更重。夜里听到殿中到处是哭声，只见伏皇后、董贵妃、二皇子及伏完、董承等几十个冤魂来向他索命。他自知性命难保，就召来曹洪、陈群、贾诩、司马懿安排后事，让他们保曹丕继承魏王。又设立疑冢七十二座，怕人仇恨他掘墓毁尸（侧面描写，再次突出曹操多疑的性格）。长叹一声就死了，享年六十六岁。

众官当即拥立世子曹丕即魏王。曹丕一登王位，先解除了曹彰的兵权，接着，追究他的两个弟弟临淄侯曹植、萧怀侯曹熊父死不奔丧的罪行。曹熊畏罪自杀，曹植却不理不睬。曹丕就派许褚领三千虎卫军，来到临淄城，杀了门军，闯进曹植府中，把他连同大小官员都绑了，押到邺郡。其母卞氏听说四子自杀、三子被擒，就见曹丕，为曹植讲情。曹丕不敢违抗母命，华歆献计，让曹植当场作诗，作出了就贬，作不出就杀。曹丕召来曹植，令他在七步内作诗一首，殿上悬挂一水墨画，画着两只牛，斗于土墙之下，一牛坠井而亡。曹丕指画说："就以此画为题。诗中不许犯着'二牛斗墙下，一牛坠井死'字样。"曹植走了七步，其诗已成："两肉齐道行，头上带凹骨。相遇块山下，郯（tán）起相搪突。二敌不俱刚，一肉卧土窟。非是力不如，盛气不泄毕。"曹丕及群臣皆惊。曹丕又说："七步成章，我以为太慢。你能应声作诗一首吗？我与你是兄弟。以此为题。不许犯着'兄弟'字样。"曹植不假思索，即得一诗："煮豆燃豆萁，豆在釜中泣。本是同根生，相煎何太急。"卞氏出来指责曹丕："你做哥哥的这样逼弟弟也太过分了!"曹丕贬曹植为安乡侯。

## 成长启示

华佗临死前将一生所著医书《青囊书》交给吴押狱,让其妥善保存,流传后世,用以济世救人。吴押狱之妻目睹一代名医华佗的惨死,怕吴押狱也重蹈华佗的覆辙,便把《青囊书》焚烧了,待吴押狱跑来时,只抢得几支残简,望着满天的灰烬,泣不成声。聪明人不放过任何一个成功的机会,实际上这也是在为自己创造机会。可惜,天大的机会放在他们夫妻面前,不仅白白放过,而且永远也不会再有了。

## 要点思考

1. 曹操为什么要杀华佗?

2. 曹丕为什么要逼曹植七步作诗?

## 写作积累

●曹操听从,打开木匣,见关羽面目如生,开玩笑说:"云长公别来无恙!"关羽忽然张口动眼,须发俱张,把曹操吓昏。

●但有病者,或用药,或用针,或用灸,随手而愈。

# 第二十四回　陆逊火烧连营

**导读**

蜀主刘备欺陆逊年少，将大军七十五万，连营七百里，攻打东吴为关羽报仇。陆逊则坚守不出，以待其变，与蜀军对峙于彝陵。蜀军自春至夏，屯扎在平原之上，赤日如火，取水艰难，苦不堪言。刘备传谕各营，移至山林茂密之地。那里等待刘备的又是什么呢？

刘备准备派兵讨伐东吴，为关羽报仇。赵云反对说曹不篡汉自立是国贼，东吴杀害关羽是私仇，当前应讨魏而不是伐吴。刘备不听，诸葛亮与百官都来劝谏，还是不听（刘备的不听劝谏，为下文的兵败埋下伏笔），调集七十万人马，又借五万番兵，共七十五万大军，就要出征。

张飞听说关羽被害，日夜痛哭，喝酒解愁，喝醉后怒气更盛，将士稍有触犯，就用鞭抽打，甚至活活打死。诸葛亮等人好不容易劝得刘备有些回心转意，张飞来了，抱住刘备的脚就大哭，指责刘备当了皇帝，就忘了桃园三结义的情分，不给二哥报仇。这一来，又把刘备的火挑起来，立誓亲自伐吴，为关羽报仇。他再次叮嘱张飞："朕素知卿酒后暴怒，鞭挞健儿，此取祸之道也。今后务宜宽容，不可如前。"张飞辞去，刘备就要发兵。学士秦宓再次苦劝刘备不可亲自为报私仇而冒险，刘备竟要杀秦宓。秦宓笑着说："臣死了没什么遗憾，可惜陛下新创的基业，很快就要颠覆了！"刘备即命人把他囚禁，待报了仇回来再跟他算账。诸葛亮上表章救秦宓，刘备竟掷到地下，不许任何人再劝谏。他命诸葛亮保太子守两川，骠骑将军马超并弟马岱，助镇北将军魏延守汉中，以挡魏兵；虎威将军赵云为后应，兼督粮草；黄权、程畿 (jī) 为参谋；马良、陈震掌理文书；黄忠为前部先锋；冯习、张南为副将；傅彤、张翼为中军护尉；赵融、廖淳为合后。点齐人马，择定章武元年七月丙寅日出兵。

张飞下令全军三天内置办白旗白甲，戴孝伐吴。范疆、张达来请求宽限几天。张飞急于报仇，鞭打将士，却在睡梦中被范、张二人割了人头，死时五十五岁。

刘备觉心惊肉跳，坐卧不安，出帐观天文，又见一流星划落。连夜派人问诸葛亮，诸葛亮说："当损失一员大将。"三天后，吴班、张苞来报张飞遇害。刘备放声大哭，昏倒在地。次日，刘备让吴班为先锋，张苞、关兴护驾，水陆大军并进，杀奔东吴。

孙权听说刘备亲率七十五万大军东征，与百官面面相觑。派人前去讲和，刘备不允。又向曹丕称臣，请曹丕攻汉中。曹丕接受了表章，封孙权为吴王，却不肯发兵，仍持观望态度。孙权情急中，派孙策的养子孙桓为左都督，朱然为右都督，起水陆人马前去抗击刘备，双方大战几场，吴军连战连败。

吴兵一败涂地，多员将领被杀，人人胆战心惊，百姓吓得日夜号哭。步骘提议，可献出范疆、张达，交还荆州，送回夫人，两家重新结盟。刘备让张苞剐了范、张，祭奠了张飞，仍不解恨，非要生擒孙权方才罢休，还要杀死使者，众官求情，他才饶了使者。

孙权得知刘备定要杀他，不肯讲和，不知怎么办才好。阚泽出班奏说："现有擎天之柱，如何不用？"孙权急问何人。阚泽说："昔日东吴大事，全任周郎；后鲁子敬代之；子敬亡后，决于吕子明；今子明虽丧，现有陆伯言在荆州。此人名虽儒生，实有雄才大略，以臣论之，不在周郎之下；前破关羽，其谋皆出于伯言。主上若能用之，破蜀必矣。如若有失，臣愿与同罪。"孙权说："非卿之言，孤几误大事。"张昭、顾雍出言反对，步骘亦说非其宜也。阚泽大呼："若不用陆伯言，则东吴休矣！臣愿以全家保之！"孙权想到陆逊虽是读书人，但是足智多谋，取荆州时就显露了锋芒，不顾老臣的反对，筑起高坛，拜年轻无名的陆逊为大都督。又把宝剑赐给他，可先斩后奏。陆逊来到前线，众将不服，纷纷要求出战，陆逊都不答应，抽出宝剑，声称谁再多嘴就斩。

刘备听说孙权拜书生陆逊为大都督，根本不放在眼里（刘备的骄傲自大为后来的兵败做铺垫）。马良认为，不可小看陆逊，上次袭取荆州就是他的主意。刘备自认为用兵老到，不会败给一个孩子。刘备从西川到猇亭摆下四十多座营寨，连绵七百多里，白天旌旗遮天，夜晚火光通明。吴兵在陆逊的指挥下，紧守各个要道隘口，绝不出战。刘备见天气越来越热，遂命各营，皆移于山林茂盛之地，近溪傍涧；待过夏到秋，并力进兵。冯习遂奉旨，将诸寨皆移于林木荫密之处。马良奏说："我军若动，倘吴兵骤至，如之奈何？"刘备说："朕令吴班引万余弱兵，近吴寨平地屯住；朕亲选八千精兵，伏于山谷之中。若陆逊知朕移营，必乘势来击，却令吴班诈败；陆逊若追来，朕引兵突出，断其归路，小子可擒矣。"文武皆贺："陛下神机妙算，我等不及也！"马良说："听说诸葛丞相在东川点看各处隘口，恐魏兵入寇。陛下何不将各营移居之地，画成图本，问于丞相？"刘备说："朕亦颇知兵法，何必又问丞相？"马良说："古云兼听则明，偏听则蔽。望陛下察之。"刘备说："卿可自去各营，画成四至八道图本，亲到东川去问丞相。如有不便，可急来报知。"马良领命而去。于是先主移兵于林木荫密处避暑。

马良带了地图来见诸葛亮，诸葛亮看了图大惊失色，说："是何人叫主上如此下寨？可斩此人！"马良说就是刘备。诸葛亮长叹："汉朝气数休矣！包原隰险阻（这五种地方都不适宜大军驻扎用兵。隰，xí）而结营，此兵家之大忌。倘彼用火攻，何以解救？还有，岂有连营七百里而可拒敌乎？祸不远矣！陆逊拒守不出，正为此也。你当速去见天子，改屯诸营，不可如此。"马良说："如果吴兵已胜，如之奈何？"诸葛亮说："陆逊不敢来追，成都可保无虞。"马良问："陆逊为何不追？"诸葛亮说："怕魏兵袭其后也。主上若有失，当投白帝城避难。我入川时，已伏下十万兵在鱼腹浦。"马良问十万兵埋伏在什么地方，诸葛亮秘而不宣，让他快去救皇上。

陆逊见时机已到，先派淳于丹发动试探性进攻，淳于丹大败，刘备更加放心。陆逊命令各部将领，带上引火物，分头袭击刘备的营寨。徐盛、丁奉不信能败刘备，陆逊却说："此计瞒不过诸葛亮，万幸他不在这里。"当夜，吴兵分头行动，到处放火。风紧火急，树木皆着，喊声大震。刘备的营寨转眼间都变成火海，尸横遍野。关兴、张苞保住刘备，好不容易才逃出火海，又被陆逊的大兵围困在马鞍山。刘备自料必战死在这里，幸亏赵云杀来，一枪刺死朱然，救出刘备，逃往白帝城。陆逊听说赵云来救，忙命部下不要再赶。蜀军的许多文官武将宁死不屈，不是战死，就是自杀，只有杜路、刘宁投降了东吴。吴军却谣传刘备死在乱军中。孙夫人听了，跳江自杀。

　　陆逊追到夔关（长江上的重要关口。夔，kuí）附近，忽见前面有一股冲天的杀气，忙让兵马退后十里，再看，杀气又不见了。他派人前去侦探，说是只见江边有八九十堆乱石头，不见一个蜀军。陆逊找当地人询问，说是此地名叫鱼腹浦，当年诸葛亮入川时，让士兵摆下乱石，乱石内常有云气升腾。他就领数十骑来看，见石头摆得有一定的规律，四面八方都有门户，陆逊笑着说："此乃惑人之术，有何用处！"就领人进去。再想出来，忽然狂风大作，一霎时，飞沙走石，遮天盖地。但见怪石嵯峨，槎枒（chá yá）似剑；横沙立土，重叠如山；江声浪涌，有如剑鼓之声。他不由大惊，说："我中了诸葛亮的计了！"急欲回时，无路可出。正惊疑间，忽见一个老人走来，把陆逊等人领出去。陆逊拜谢，问："长者何人？"老人答："老夫乃诸葛亮之岳父黄承彦。当初小婿入川之时，在此布下石阵，名八阵图。反复八门，按遁甲休、生、伤、杜、景、死、惊、开。每日每时，变化无端，可比十万精兵。临去之时，曾吩咐老夫：后有东吴大将迷于阵中，莫要引他出来。老夫适才见将军从死门而入，料想不识此阵，必为所迷。老夫平生好善，不忍将军陷没于此，故特自生门引出。"陆逊说："公曾学此阵法否？"黄承彦说："变化无穷，不能学也。"陆逊拜谢而回。后杜工部（杜甫，字子美，曾任工部员外郎，人称杜工部）有诗曰："功盖三分国，名成八阵图。江流石不转，遗恨失吞吴。"

## 成长启示

诸葛亮托马良致书刘备，称陆逊饱读兵书，切不可对其麻痹大意。刘备不以为然。黑夜，陆逊实施了他筹划已久的火攻计划。吴军火烧蜀军连营七百里，刘备的军寨陷入一片火海之中。刘备在众人的挟持下终于突围。满招损，谦受益。不管我们的成绩有多么大，我们仍然应该清醒地估计敌人的力量，提高警惕，决不容许在自己的队伍中有骄傲自大、安然自得和疏忽大意的情绪。可惜刘备没有记住。

## 要点思考

1. 刘备这次出兵为什么不带诸葛亮？
2. 刘备为什么会被陆逊火烧连营？

## 写作积累

●颠覆　兼听则明　偏听则蔽
●再想出来，忽然狂风大作，一霎时，飞沙走石，遮天盖地。但见怪石嵯峨，槎枒似剑；横沙立土，重叠如山；江声浪涌，有如剑鼓之声。

# 第二十五回　白帝城托孤

**导读**

刘备自败入白帝城后，便一病不起，日夜思念关羽、张飞，几次昏厥之后，自知将不久于人世，便急召诸葛亮等听受遗命。刘备究竟交代诸葛亮什么呢？

刘备逃到白帝城，马良也赶到了，转达了诸葛亮的话。刘备感叹说："朕早听丞相之言，不致有今日之败！现在还有何面目回成都见群臣！"遂传旨就在白帝城驻扎，将馆驿改为永安宫。探马来报说冯习、张南、傅彤、程畿、沙摩柯等都死在乱阵之中，刘备伤感不已。有大臣奏称："黄权引本部之兵，降魏去了。陛下可将他的家属送有司问罪。"刘备说："黄权被吴兵隔断在江北岸，欲归无路，不得已而降魏。是朕负权，非权负朕，何必怪罪他的家属？"仍然给黄权家俸禄、粮食。却说黄权降魏，诸将把他引见给曹丕，曹丕说："卿今降朕，欲追慕于陈、韩耶？"

黄权哭着说："臣受蜀帝之恩，殊遇甚厚，他令我督诸军于江北，被陆逊绝断。臣归蜀无路，降吴不可，故来投效陛下。败军之将，免死已是很幸运了，安敢追慕古人！"曹丕大喜，拜黄权为镇南将军。黄权坚辞不受。曹丕的近臣说："有细作从蜀中回来，说蜀主将黄权家属都杀干净了。"黄权说："臣与蜀主，推诚相信，他知臣本心，必然不肯杀臣的家小。"曹丕点头称是。

　　曹丕问贾诩："我想一统天下，是先取蜀还是先取吴？"贾诩说："刘备雄才，更兼诸葛亮善能治国。东吴的孙权，又能识虚实，陆逊现在屯兵在险要之处，隔江而望，都难谋取。以臣观之，诸将之中，没有孙权、刘备敌手。就是以陛下天威前去，亦不见得是万全之势。只能持守，等待二国之变。"曹丕说："朕已遣三路大兵伐吴，安有不胜之理？"尚书刘晔说："最近东吴的陆逊，刚打败蜀兵七十万，将士上下齐心，再有长江之险，不可卒制，陆逊又多谋，必有准备。"曹丕说："卿以前劝朕伐吴，现在又谏阻，这是为何？"刘晔说："时间不同了。以前东吴多次败给蜀，气势受挫，所以可击；现在他们大获全胜，锐气百倍，不能进攻。"曹丕说："我意已决，不要再说了。"遂引御林军亲往接应三路兵马。探马回报说东吴已有准备，吕范引兵拒住曹休，诸葛瑾引兵在南郡拒住曹真，朱桓引兵以拒曹仁。刘晔说："既然有准备，再去恐怕无益。"曹丕不从，引兵而去。

　　没想到曹军被朱桓杀得大败，连曹仁也大败而退，见了曹丕，细奏大败之事。曹丕大惊。忽然探马来报："曹真、夏侯尚围了南郡，却中了陆逊和诸葛瑾的埋伏，内外夹攻，大败而回。"话没说完，又来一个探马报："曹休被吕范杀败了。"曹丕听到三路兵败，长叹说："朕不听贾诩、刘晔之言，果有此败！"时值夏天，瘟疫流行，马步军死伤十分之六七，曹丕下令引军回洛阳。吴、魏自此不和。

却说刘备在永安宫，染病不起，渐渐沉重，到了章武三年四日，刘备自知病入四肢，又时常痛哭关、张两个弟弟，他的病越来越严重。两眼昏花，模糊不清。厌恶见到侍从之人，于是斥退左右，独自躺在龙榻之上。忽然一阵阴风骤起，将灯吹得摇摇晃晃，灭了又明，只见灯影之下，有二人侍立。刘备大怒："朕心绪不宁，叫你们退下，为什么又来！"叱责一声，二人不退。刘备起身来看，原来是关羽和张飞。刘备大惊："二弟原来还活着？"关羽说："臣现在不是人，是鬼。上天以臣二人平生不失信义，都敕命（六品官职以下授敕命，称敕封）为神。哥哥与兄弟相聚不远了。"刘备拉着二人大哭。忽然惊觉，二人都不见了。立刻唤来从人一问，现在正是三更时分。刘备长叹一声："朕不久于人世矣！"遂遣人往成都，请丞相诸葛亮、尚书令李严等，星夜来永安宫，听受遗命。

诸葛亮等与刘备的次子鲁王刘永、梁王刘理，来永安宫见刘备，留太子刘禅守成都。诸葛亮来到永安宫，见刘备病危，慌忙拜伏在龙榻之下。刘备传旨，请诸葛亮坐于龙榻之侧。抚着诸葛亮的背说："朕得了丞相，有幸成就帝业；可惜我智识（统领知识的智慧）浅陋，不纳丞相之言，自取其败。悔恨成疾，死在旦夕。只是所留之子孱弱（chán ruò，懦弱；怯懦），不得不以大事相托。"说完，泪流满面。诸葛亮也流着泪说："愿陛下保重龙体，以副（相配，相称）天下之望！"

刘备抬眼看一下，见马良之弟马谡在一旁，刘备令他退出
去。马谡退出，刘备对诸葛亮说："丞相观马谡之才如何？"
诸葛亮说："此人亦当世之英才也。"刘备说："不然。朕观
此人，言过其实，不可大用。丞相要仔细观察（为后文马谡失街
亭，诸葛亮用人失察埋下伏笔）。"说完，就传旨召诸臣入殿，取纸笔
写了遗诏，递给诸葛亮，长叹说："朕不读书，粗知大略。
圣人云：鸟之将死，其鸣也哀；人之将死，其言也善。朕
本想与你们同灭曹贼，共扶汉室，不幸中道而别。烦丞相
将诏吩咐与太子刘禅，告诉他不要以为这是平常之言。凡
事更望丞相教他！"诸葛亮等哭着拜在地上，说："愿陛下
保重龙体！臣等尽施犬马之劳，以报陛下知遇之恩。"刘备
命内侍扶起诸葛亮，一手擦泪，一手拉着诸葛亮的手，说：
"朕现在快死了，有心腹话要告诉你！"诸葛亮说："陛下请
说！"刘备流着泪说："你的才能胜曹丕十倍，必能安邦定
国，终定大事。如果刘禅可以辅佐，就辅佐他；如果他没
有才能，你可自为成都之主。"诸葛亮听完，冷汗流了一
身，手足失措，哭着拜在地上说："臣安敢不竭股肱之力（自
己的所有力量。形容做事已竭尽全力。肱，gōng），尽忠贞之节，继之以
死乎！"说完，连连叩头，眉头流血。刘备又请诸葛亮坐在
榻上，唤鲁王刘永、梁王刘理近前，吩咐二人："你们都要
记住朕的话：朕亡之后，你兄弟三人，都要事丞相如父，
不可怠慢。"说完，命二王跪拜诸葛亮。二王拜毕，诸葛亮
说："臣虽肝脑涂地，安能报知遇之恩也！"刘备对众官说：
"朕已托孤于丞相，令三子以父事之。你们都不可怠慢，以
负朕望。"又嘱赵云说："朕与卿于患难之中，相从到现在，

不想要在此地分别。卿是朕的故交，早晚照看下我的孩子，勿负朕言。"赵云哭拜说："臣岂敢不效犬马之劳！"刘备又对众官说："卿等众官，朕不能一一嘱咐，愿你们都自爱。"说完，驾崩，享年六十三岁。后杜工部有诗叹说："蜀主窥吴向三峡，崩年亦在永安宫。翠华想象空山外，玉殿虚无野寺中。古庙杉松巢水鹤，岁时伏腊走村翁。武侯祠屋长邻近，一体君臣祭祀同。"

## 成长启示

　　刘备卧榻托孤，诸葛亮与众臣无不为其所感，泣拜于地。刘备病故于白帝城，享年六十三岁。刘备的临终托孤，诸葛亮既觉得任重道远，又被刘备的信任所感动。被人信任是幸福的。如果迟迟不敢去信任一个值得你信任的人，你就永远不能获得爱的甘甜和人间的温暖，那么你的一生将会黯淡无光。

## 要点思考

　　1. 曹丕攻打东吴，结果如何？

　　2. 刘备是怎样评价马谡的？

## 写作积累

　　●谏阻　　孱弱　　股肱之力

　　●诸葛亮听完，冷汗流了一身，手足失措，哭着拜在地上说："臣安敢不竭股肱之力，尽忠贞之节，继之以死乎！"

# 第二十六回　安居平五路

**导读**

　　刘备死讯传来，孙权大喜，认为蜀国只会北抗曹魏，不会再与东吴为敌。许昌城中，司马懿亲自为曹丕设计了五路伐蜀战略，曹丕也大喜。他们的计谋能得逞吗？

　　**刘**备驾崩后，文武百官无不哀痛。诸葛亮率众官奉梓宫回成都。太子刘禅出城迎接灵柩，安放在正殿之内。举哀行礼完毕，开读刘备的遗诏。诏曰："朕初得疾，但下痢（1）耳；后转生杂病，殆不自济。朕闻人年五十，不称夭寿。今朕年六十有余，死复何恨？但以卿兄弟为念耳。勉之！勉之！勿以恶小而为之，勿以善小而不为。惟贤惟德，可以服人；卿父德薄，不足效也。卿与丞相从事，事之如父，勿怠！勿忘！卿兄弟更求闻达。至嘱！至嘱！"群臣读诏已毕。诸葛亮说："国不可一日无君，请立嗣君，以承汉统。"于是立太子刘禅即皇帝位，改元建兴。加封诸葛亮为武乡侯，领益州牧。葬刘备于惠陵，谥昭烈皇帝。尊皇后吴氏为皇太后；谥甘夫人为昭烈皇后，糜夫人亦追谥为皇后。升赏群臣，大赦天下。

早有魏军探知此事，报给曹丕。曹丕大喜，说："刘备已经死了，朕可以无忧了。何不乘他国中无主，起兵讨伐他们？"贾诩谏道："刘备虽然死了，必定托孤给诸葛亮。诸葛亮感刘备的知遇之恩，必会倾心竭力，扶持刘禅。陛下不可仓促出兵。"正说话时，忽然一个人从班部中奋然而出，说："不乘此时进兵，更待何时？"大家一看，原来是司马懿。曹丕大喜，遂问计于司马懿。司马懿说："若只起魏国之兵，急难取胜。须用五路大兵，四面夹攻，令诸葛亮首尾不能救应，然后可图（语言描写，是下文安居平五路的原因）。"曹丕问是哪五路，司马懿说："可修书一封，差使往辽东鲜卑国，见国王轲比能，以金帛贿赂，令他起辽西羌兵十万，先从旱路攻取西平关，此一路也。再修书遣使赍（jī）官诰赏赐，直入南蛮，见蛮王孟获，令他起兵十万，攻打益州、永昌四郡，此二路也。再遣使进入东吴和他们修好，许以割地，令孙权起兵十万，攻两川峡口，径取涪城，此三路也。可差使到降将孟达处，起上庸兵十万，西攻汉中，此四路也。然后命大将军曹真为大都督，提兵十万，由京兆径出阳平关取西川，此五路也。共大兵五十万，五路并进，诸葛亮就是有姜子牙之才，能挡得住吗？"曹丕大喜，随即密遣能言善辩四个官员为使前去；又命曹真为大都督，领兵十万，径取阳平关。

却说蜀汉后主刘禅，即位以来，刘备时的旧臣多有病

亡者，不能细说。凡朝廷有事，都听诸葛丞相裁处。当时
刘禅还未立皇后，诸葛亮与群臣上言说："故车骑将军张飞
之女甚是贤惠，年满十七岁，可纳为正宫皇后。"刘禅即
纳之。

　　八月，边关报警说："魏调五路大兵，来取西川：第一
路，曹真为大都督，起兵十万，取阳平关；第二路，乃反
将孟达，起上庸兵十万，犯汉中；第三路，乃东吴孙权，
起精兵十万，取峡口入川；第四路，乃蛮王孟获，起蛮兵
十万，犯益州四郡；第五路，乃番王轲比能，起羌兵十万，
犯西平关。此五路军马，甚是利害。"刘禅大惊，忙派人去
请诸葛亮，诸葛亮却托病不出。第二天，刘禅又派董允、
杜琼去告知丞相，又被拦在门外。杜琼说："先帝托孤于丞
相，今主上初登宝位，被曹丕五路兵犯境，军情至急，丞
相何故推病不出（为刘禅亲自拜访诸葛亮造势）？"很长时间，门吏传
丞相令，说："病体好了些，明早出都堂议事。"董、杜二
人叹息而回。第二天，很多官员又来丞相府前伺候。从早
至晚，又不见诸葛亮出来。人心惶惶，只得散去。杜琼奏
后主说："请陛下圣驾，亲往丞相府问计。"后主刘禅即引
大臣入宫，启奏皇太后。太后大惊，说："丞相何故如此？
有负先帝委托之意！我当亲自前往。"董允说："娘娘不可
轻往。臣料丞相必有高明之见。待主上先往。如果怠慢，
请娘娘于太庙中，召丞相问之不迟。"太后依奏。

　　第二天，刘禅来到相府，门吏见后主驾到，慌忙拜伏
于地。后主问："丞相在何处？"门吏说："不知在何处。只
有丞相钧旨，叫挡住百官，不得进入。"后主就步行进去，

进了第三道门，见诸葛亮正独自手持竹杖，在小池边看鱼。他静等了许久，才慢慢地说："丞相安乐吗？"诸葛亮回头一看是后主，忙弃杖叩拜，刘禅把他扶起，问："今曹丕分兵五路，犯境甚急，相父为什么不设法抵挡曹兵？"诸葛亮大笑，请刘禅到屋里坐下，才说："五路兵至，臣安得不知，我不是观鱼，是在设法退五路敌军。"后主问现在如何，诸葛亮说："羌王轲比能、蛮王孟获、反将孟达、魏将曹真四路，我已把他们退了，只有东吴这一路，已有退敌之计，但须一能言之人为使，还没考虑到合适的人选。所以在这思考，陛下何必忧虑？"

刘禅听完，又惊又喜，说："相父果然有鬼神莫测之机！愿闻退兵之策。"诸葛亮说："先帝把陛下托付给臣，臣安敢怠慢？成都的众官都不知道，兵法之妙，贵在使人不测，岂可泄露于人？西番国王轲比能，引兵犯西平关；臣料马超素得羌人之心，羌人以马超为神威天将军，臣已先遣一人，令马超紧守西平关，埋伏四路奇兵，每日交换，此一路不必忧虑。南蛮孟获，兵犯四郡，臣遣魏延领一军左出右入，右出左入，为疑兵之计。蛮兵只有勇力，其心多疑，看见疑兵，必不敢进。此一路又不足忧虑。孟达引兵出汉中，他与李严曾结生死之交，臣回成都时，留李严守永安宫，臣已作书信一封，令李严送与孟达，孟达必然推病不出。此一路又不足忧虑。曹真引兵犯阳平关，此地险峻，可以保守，臣已调赵云引一军守把关隘，不出战；曹真见我军不出，不久自退。此四路兵都不足忧虑。臣害怕不能全保，又密调关兴、张苞二将，各引兵三万，屯在紧要之处，为各路救应。此数处调遣之事，都不曾由成都经过，因此无人知觉。只有东吴这一路兵，他未必便动：如果其他四路兵胜，川中危急，东吴必来相攻；若四路都不成功，他岂敢轻动？臣料孙权想曹丕三路侵吴之怨，必不肯听从曹丕的命令。虽然如此，也要用一能言善辩之士，前往东吴，以利害说之，则先退东吴；其四路之兵，何足忧虑？只是没有想到出使东吴之人，因此有些踌躇(chóu chú，犹豫不定，反复琢磨思量)。何劳陛下圣驾亲临？"后主说："太后也想来见相父。现在朕听了相父之言，如梦初醒！"

诸葛亮送刘禅出府，百官在门外迎候，都不知皇上为什么高兴，只有户部尚书邓芝仰天而笑。诸葛亮请他留下，略一交谈，便把出使东吴的重任交给了他。

孙权探得其他四路无功而返，又听说蜀国派邓芝到来，就在大殿前放一个大鼎，里面盛几百斤油，下面架上烈火，派一千名身材高大的武士，拿着刀、斧排成两行。邓芝进来，坦然地穿越刀丛，来到殿前，见鼎中的油已烧滚，面带微笑，来到孙权面前，深深作了个揖。孙权怒问："为何不拜？"邓芝昂然而说："上国天使，不拜小邦之主。"孙权更生气，说："你不自量力，想摇动三寸不烂之舌，仿效郦食其说田横的故事，就快些下到油鼎里去！"邓芝大笑着说："人皆言东吴多贤，谁想惧一儒生！""孤何惧尔一匹夫耶？""既不惧邓伯苗，何愁来说汝等也？吾乃蜀中一儒生，特为吴国利害而来。乃设兵陈鼎，以拒一使，何其局量之不能容物耶！"孙权无言以对，命令武士退下，请邓芝坐下，请教三国间的利害关系。邓芝侃侃而谈，分析了各国的长处、短处，魏国让吴国攻蜀的目的是想坐收渔人之利。孙权认为邓芝说的是心里话，重重赏赐他，送他回蜀国。自此吴、蜀通好。

### 成长启示

曹魏五路兵犯境，刘禅六神无主，亲往丞相府探病、问计。见诸葛亮神态悠闲，毫无病态，不解其意。诸葛亮详述退兵之计，刘禅兴奋而返。诸葛亮既然受刘备托孤，不可能不知国家大事，只是他胸中有沟壑，所以显得从容。不管遇到什么困难，只要保持一个平常心，那么在困难面前走路也会像在散步一样悠然。

### 要点思考

1. 曹丕派出哪五路大军？

2. 诸葛亮是如何破敌的？

### 写作积累

● 踌躇 如梦初醒 侃侃而谈

● 孙权探得其他四路无功而返，又听说蜀国派邓芝到来，就在大殿前放一个大鼎，里面盛几百斤油，下面架上烈火，派一千名身材高大的武士，拿着刀、斧排成两行。

# 第二十七回　七擒孟获

**导读**

蜀国建宁太守勾结孟获起兵十万反叛。永昌郡被围，其势甚急，消息传到成都，诸葛亮决定亲自率军南征，平息叛乱。诸葛亮为什么要亲自去呢？

曹丕得知孙权与蜀再结联盟，就派司马懿留守洛阳，亲自领三十万大军伐吴。东吴老将徐盛挺身而出，愿领兵守长江。孙权封徐盛为安东将军，领建业、南徐的人马抗曹。曹丕乘龙舟来到广陵，看南岸不见一兵一卒，认为吴兵设下诡计，自知不可取江南。突然，刮起一阵狂风，白浪滔天，龙舟眼看要翻。文聘背着曹丕跳上小船，划进小河避风。这时，孙韶领人杀来，魏军淹死无数。张辽中了丁奉一箭，被徐晃救下。魏兵大败，逃回许昌，不几天张辽就因伤重死了。

诸葛亮在成都，大事小事都亲自过问，公平处理。东西两川，夜不闭户，路不拾遗，加上连年丰收，凡遇到差役徭役，都争先恐后地早办。因此军需器械应用之物，无不完备；粮食、财务充盈，军备充足。

建兴三年，益州快马来报："蛮王孟获率十万大兵进犯，建宁太守雍闿，是大汉什方侯雍齿的后代，现在结联孟获造反。牂牁（zāng kē，今贵州省大部及广西、云南部分地区）郡太守朱褒、越嶲（xī）郡太守高定献城投降。只有永昌太守王伉不肯与功曹吕凯，会集百姓，死守此城，"诸葛亮就安排马超领兵防魏，李严防吴，要亲领人马征南。刘禅和众大臣都劝诸葛亮不可亲征。诸葛亮说："南蛮大多数百姓不服王法，只有我亲自去，是用刚还是用柔，根据具体情况，才能斟酌处理，别人无法决断（语言描写，表现了诸葛亮事必躬亲的特点）。"

随即诸葛亮就辞别了后主，令蒋琬为参军，费祎为长史，董厥、樊建二人为掾史（官名。掾与史的合称。掾，yuàn）；赵云、魏延为大将，总督军马；王平、张翼为副将；其他将领数十员，起兵五十万，往益州进发。半路上遇见关羽的小儿子关索，关索原在鲍家庄养病，至今才好，听说父仇已被关兴报了，就来成都见皇帝，正好遇见诸葛亮出兵。诸葛亮就让他打先锋，一同征南。

诸葛亮刚到南地，就设离间计分化了雍闿、高定、朱褒三路兵马。高定杀了雍闿和朱褒，向诸葛亮投降。诸葛亮来到永昌，太守王伉迎接了，说是全靠吕凯才守住城。诸葛亮请来吕凯，吕凯献上蛮方地图，诸葛亮就让他当行军教授兼向导官，随军南征。

队伍正在行进，马谡身穿重孝而来，说是奉刘禅的圣旨前来犒劳大军。诸葛亮见他穿孝，问知是马良病故。随后，诸葛亮问马谡对平蛮有什么高见。马谡指出，用兵之道，攻心为上，攻城为下；心战为上，兵战为下。尽管可以用武力征服蛮方，但蛮人不服王化，久后还会反，最好的办法是采用攻心战术，收服他们的心，才永远不会反（为后来七擒孟获埋下伏笔）。诸葛亮认为这个战术正对他的心意，就留马谡为参军。

孟获得知诸葛亮已智降雍闿等三路反将，就命第一洞元帅金环三结、第二洞元帅董荼（tú）那、第三洞元帅阿会喃各领兵五万，分三路迎敌。诸葛亮不安排赵云、魏延前去迎敌，理由是二人已过中年，又不识地理，怕二人出意外。二人不服，私下商量，先捉住几个蛮兵，酒肉相待，让他们带路。二人连夜进兵，来到蛮寨冲杀进去。金环三结慌忙迎敌，被赵云一枪刺死。魏延进攻董荼那寨，王平恰巧赶来，前后夹攻，杀得蛮兵大败，只有董荼那逃脱了。赵云又来到阿会喃寨，马忠已开始进攻，两下夹攻，阿会喃逃脱了。各自收军，回见诸葛亮。诸葛亮问："三洞蛮兵已败，却跑了两洞之主。金环三结元帅首级何在？"赵云将首级献上。大家都说："董荼那、阿会喃弃马越岭而跑，因此赶不上他们。"诸葛亮大笑："这二人我已擒下了。"诸将都不信。一会儿，张嶷押解董荼那回来，张翼也押解阿会喃到了。大家都十分惊讶。原来，诸葛亮看了吕凯的地图，已派二张设下埋伏，故意激怒赵、魏去偷袭敌军，结果是大获全胜。诸葛亮摆酒款待了董荼那、阿会喃，好言抚慰后，放了二人。接着，他又安排众将明天迎战孟获。

孟获得知三路元帅兵败，自领大军迎敌，遇见王平。王平出马横刀前望：只见门旗开处，数百南蛮骑将两势摆开。孟获出马，头顶嵌宝紫金冠，身披缨络红锦袍，腰系碾玉狮子带，脚穿鹰嘴抹绿靴，骑一匹卷毛赤兔马，悬两口松纹镶宝剑，昂然观望，派忙牙长去战王平。王平斗了几回合，拨马就逃。孟获追赶二十多里。却被赵云截杀一阵，只带数十骑逃入山谷。孟获见无路可逃，只好扔下马翻山而逃。谁知魏延突然拦路，把孟获活捉，蛮兵都投降了。诸葛亮先好言抚慰了被俘的蛮兵，让他们吃了酒饭，又发给钱粮，放他们回家。然后问孟获既已被擒，服不服。孟获说："山僻路狭，误遭汝手，如何肯服！"诸葛亮就放他回去，整顿人马，来日再战。

孟获到了泸水，正遇见手下败残的蛮兵，都来寻探他的消息。众兵见了孟获，又惊又喜，问道："大王如何回来的？"孟获说："蜀人把我困在帐中，却被我杀死十余人，乘夜黑跑出来了。正走着，又遇到一哨马军，也被我杀了，夺了这匹马。"众人大喜，拥孟获渡了泸水，召来阿会喃、董荼那，把被诸葛亮放回的士兵聚到一处，把船都扣在南岸，依山傍崖筑土城防守。蜀兵来到，无法过河，天气又炎热难当，诸葛亮就让选择荫凉地形立寨。蒋琬见士兵在树荫下盖茅草棚挡太阳，认为正和刘备的连营一样，怕用火攻。诸葛亮让他放心，自有办法破敌。这时，马岱押解粮草与解暑药来到，诸葛亮让马岱领三千兵，到下游去断孟获的粮道。马岱领兵来到沙口，士兵见水浅，不肯乘筏，许多人脱衣涉水过河。谁知涉了一半，都倒在水里。马岱忙将他们救上岸，却见他们一个个口鼻流血死了。诸葛亮得报，忙请教当地人，当地人说："现在天气炎热，泸水上凝聚奇毒，白天甚热，毒气正在发作，如果有人这个时候要渡水，必然中毒；要是喝了这水，那就必死。若要渡过泸水。需要等夜静水冷，毒气不起时，吃饱了再过，方可无事。"诸葛亮又给马岱五百精兵，于夜间偷渡沙口。

马岱领兵守住路口，截获大量粮草。孟获还在吃喝玩乐，对众酋长说："我如果与诸葛亮对敌，必中他的奸计。现在靠得泸水之险，深沟高垒。蜀人受不过酷热，必然退兵。那时我与你们随后追击，便可擒拿诸葛亮了。"说完呵呵大笑。探马来报说马岱已偷渡过来，截了粮道。孟获还没放在心上，派忙牙长领兵前去退敌。忙牙长见了马岱，交手只一个回合就被马岱杀死。蛮兵败回，报告孟获，孟获就派董荼那领兵去战马岱，又派阿会喃领兵守沙口。马岱见了董荼那就大骂他忘恩负义，再次造反。董荼那羞惭难当，回见孟获，只说是打不过马岱。孟获已看出他无心作战，就要杀他。众酋长求情，才免了死罪，重打董荼那一百大棍。董荼那回寨，与心腹商量，夜间趁孟获大醉，把他绑了，过河献给诸葛亮。

诸葛亮提审孟获。孟获认为，趁他们内讧，把他捉来，不算诸葛亮的本事。诸葛亮再次放了他。孟获回去后把董荼那与阿会喃都杀了。他就与弟弟孟优定计，让孟优领百余名蛮兵，带着金银珠宝假装投降诸葛亮，他偷袭蜀营时，孟优好在里面接应。诸葛亮热情地接待了孟优。当夜，孟获点起三万人马，带了引火的东西，偷渡泸水，冲入诸葛亮的大寨，却发现是一座空营，只有孟优与众蛮兵醉倒一地。孟获知道中计，急忙救起孟优等人，正要回兵，赵云、魏延、王平杀来。孟获单人匹马冲出包围，在泸水岸边准备上船时，却被马岱领人擒住了。

诸葛亮再问孟获服不服，他说这次被俘是因为孟优贪吃造成的，仍要再战。诸葛亮就放了他和所有俘虏。孟获回去后发现魏延已占领了他的老巢，只好领着部下回到银坑洞。他越想越气，就令心腹人往八番九十三甸借兵。不几天就借来了一万刀牌獠丁（指西南少数民族的兵丁。獠，liáo）和数十万大军。

孟获再次领兵到来，诸葛亮见刀牌獠丁横冲直撞，非常凶猛，就让关闭寨门，不许出战。几天后，诸葛亮才唤来众将，各授密计。关索保护诸葛亮离去，寨中仍然灯火通明，孟获不知虚实，没敢进攻。第二天天亮，孟获夺下三座空营，缴获许多粮草，误以为是蜀国有急事，诸葛亮仓促撤军，就命蛮兵上山砍竹，准备渡河追击。到了夜晚，突然刮起狂风，蜀兵从四面杀来。蛮兵獠丁分辨不清，开始自相残杀。孟获见势不妙，就带上自家亲信杀出去。走不多远，忽听一声巨响，连人带马跌进陷坑。魏延指挥军士把他们用挠钩搭出来，捆回大营。诸葛亮大怒道："你被我捉了四次，还有什么话说？"孟获说："我中了你的诡计，死不瞑目！"诸葛亮让武士把他推出去砍了，孟获毫无惧色，回头对诸葛亮说："你敢放我回去，我必报四次被俘之仇！"诸葛亮让左右给他松绑，第四次放了他。

孟获收拾数千残兵，又遇见孟优带兵来迎，二人抱头痛哭。孟优提议到秃龙洞朵思大王那里躲避，蜀兵受不了酷暑，自会退兵。二人就领败兵来到秃龙洞，朵思大王把他们迎入洞，说："我这里只有两条路，一条是大路，就是大王来的那条路，可以通行人马。只要把路口垒死，诸葛亮就有百万人马也飞不过来。再一条是小路，路上有许多毒虫蛇蝎，而且还有瘴气，能让人中毒。这一路没有水，只有四个毒泉：一名哑泉，其水颇甜，人若饮之，则不能言，不过旬日必死；二名灭泉，此水与汤无异，人若沐浴，则皮肉皆烂，见骨必死；三名黑泉，其水微清，人若溅之在身，则手足皆黑而死；四名柔泉，其水如冰，人若饮之，咽喉无暖气，身躯软弱如绵而死。自古以来此处人迹罕到，鸟兽绝迹，只有大汉伏波将军马援到过。自他以后，便无一人到此。蜀兵走这条路来，必然死完。"孟获放下心来，终日与朵思大王饮宴。

诸葛亮见孟获躲进秃龙洞不出来，垒断大路，山势险恶，又有重兵把守，蜀兵不能前进。诸葛亮问吕凯，吕凯也只知有这一条路，蒋琬就劝诸葛亮不如收兵。诸葛亮要彻底收服孟获，不愿半途而废，就让王平用蛮兵当向导，寻找小路。得人指点，找到万安溪的万安隐者，隐者告诉诸葛亮，蛮洞多毒虫，柳花落入水中，水都有毒，不可饮用，只有挖井取水。又赠送诸葛亮许多薤叶芸香，在口中含一片叶子可避瘴气。诸葛亮请教隐者姓名，隐者却是孟获的大哥孟节，因不满弟弟的作为，才隐居深山。诸葛亮回去后命军士掘地打井，蜀军有了水源，就从小路来到秃龙洞。朵思大王得报，惊叹："真是神兵！"孟获请朵思支持他与诸葛亮决一死战，朵思就杀牛宰马，大赏蛮兵，准备下山决战。孟获、孟优和朵思正在饮酒，却被手下人捉了，献给诸葛亮。诸葛亮质问孟获服不服，孟获说是本洞人自相残害，当然不服。诸葛亮就放了孟获兄弟与朵思，说："再被我抓住，我要灭你的九族！"

孟获等回到银坑山，他的妻弟带来洞主建议去请八纳洞主木鹿大王。木鹿精通法术，骑着大象作战，能呼风唤雨，驱赶毒蛇猛兽。他手下的三万神兵更是勇猛无敌。孟获就派他去求援，派朵思去守三江城。

木鹿大王领兵来到，孟获设宴接待。第二天，木鹿领兵与赵云、魏延交战。赵、魏见蛮兵赤身裸体，身带四把尖刀，木鹿骑着白象，身挂两口宝刀，手中拿着铃铛。木鹿摇动铃铛，突然刮起狂风，无数毒蛇猛兽扑来，蜀兵不敢抵挡，大败而逃。赵、魏见了诸葛亮请罪，诸葛亮笑着说："这不是你们的罪过。我没出茅庐时，已知南蛮有人会驱猛兽，早定下法子破他。我带来二十辆车，现在先用一半，另一半还有用处。"左右推来十辆车，里面装的却是用木头刻的怪兽，五色绒线做的兽毛，钢铁做的爪牙。第二天，诸葛亮亲自领兵出阵。木鹿就摇动铃铛，口念咒语，顿时狂风大作，猛兽狂奔。诸葛亮把羽扇一摇，那风就反刮回去，蛮洞真兽见蜀阵巨兽口吐火焰，鼻出黑烟，身摇铜铃，张牙舞爪而来，诸恶兽不敢前进，皆奔回蛮洞，反把蛮兵冲得倒了一地。蜀兵乘势冲杀，木鹿被杀死，孟获率亲信翻山逃跑。诸葛亮正想分兵追擒孟获，带来洞主却抓住孟获来献。诸葛亮猜出有诈，安排好才让带来洞主进来。带来洞主押解孟获等人跪拜下来，诸葛亮一声令下，把众人都抓起来，从身上搜出短刀。诸葛亮大笑着说："你们的诡计怎能瞒得过我？今日如何？"孟获说："这是我等自来送死，不是你的本领，我不服。你能第七次抓住我，我方服你，永不造反。"诸葛亮让给众人松绑，说："下回擒住，绝不轻饶！"

孟获收拾残兵，不知投奔何处。带来洞主建议投乌戈国王兀（wū）突骨，此人身高二丈，浑身生鳞，不吃粮食，专吃毒蛇猛兽。他的军士身穿藤甲，其藤生于山涧之中，盘于石壁之上；国人采取，浸于油中，半年方取出晒之；晒干复浸，凡十余遍，却才造成铠甲（为后面的火烧藤甲点明了原因）；穿在身上，渡江不沉，刀枪不入，叫藤甲军。要是能请来藤甲军，就可打败诸葛亮了。孟获就来到乌戈国，见到兀突骨，哭诉了大败的经过，兀突骨说："我起本洞之兵，与你报仇。"

诸葛亮得知兀突骨领藤甲军助战，就领兵来到渡口。他听说水不能喝，就退后五里下寨。第二天，兀突骨领藤甲军渡过河，魏延命军士放箭，箭射到藤甲上，都落到地上。冲上去交战，刀剑都被藤甲挡住，不能杀敌，魏延只得败逃。魏延回去跟诸葛亮一说，吕凯认为藤甲军刀枪不入，不可战胜，再加上河水有毒，不如收兵。诸葛亮思考很久，才吩咐将领依计行事。

魏延依计连败半月，第十六日，魏延诈败，逃进蛇盘谷。兀突骨见谷中没有树木，放心追进去。来到谷中，见放着十辆车，以为蜀兵把运粮车扔了，继续追赶。刚到了谷口，只见两边山上滚木檑石打下来，堵住道路。兀突骨忙命退兵，后面谷口已被乱柴堵死。两边山上扔下无数火把，燃起熊熊烈火。原来，车中装的是火药。诸葛亮在山上见藤甲军被烧得伸胳膊蜷腿，惨死谷中，忍不住落下泪来。叹息道："我虽然为国立了功，但这确实太残忍了，必然要折我的阳寿呀。"

孟获听说兀突骨把诸葛亮困在蛇盘谷中，请他带兵接应。还没来得及高兴，就被马岱活捉了。孟获被押到大营，诸葛亮让人领到另一个帐中去吃饭饮酒。一个官员过来对孟获说："丞相说没脸见你，让我放你们回去，再招人马来决胜负。你可以走了。"孟获热泪直流，说："七擒七纵，自古没有这种事。我虽是蛮人，也知道礼义，就能这样没有羞耻吗？"他就领着亲属来见诸葛亮，拜倒在地，说："丞相天威，南人不复反矣！"诸葛亮问："你服了吗？"孟获说："我要让子子孙孙都感谢丞相的大恩，怎敢不服？"诸葛亮就请孟获进帐，另设酒宴款待，让他永为洞主。蜀军所占领的土地，都退还给他。孟获与蛮兵无不兴高采烈，欢呼跳跃。

长史费祎提议派官员与孟获一起镇守蛮方。诸葛亮不同意，说让蛮人自己治理自己，只要他们不再造反就行了。蛮人都感谢诸葛亮的恩德，立生祠四时供祭，叫他为"慈父"。诸葛亮决定班师回蜀，刚来到泸水，却见天空布满乌云，水面上刮来狂风，飞沙走石，不能前进，诸葛亮就问是什么原因。孟获说："泸水中原有鬼怪作祸，过往必须祭水。过去都是用四十九颗人头与黑牛白羊作为祭品。"诸葛亮说："现在战争已经结束，我岂能再杀一人。"他就亲自到岸边察看，见阴风阵阵，波浪滔天。当地人告诉他："自丞相经过之后，夜夜都能听见水边鬼哭神嚎。从黄昏到黎明，哭声不断。瘴烟之内，阴鬼无数，再也没人敢渡。"诸葛亮说："这是我的罪过。马岱的兵在这死了千余，又把许多蛮兵的尸体扔到水中，狂魂怨鬼，不能解脱，以致如此。我要亲自主祭。"他让人和面，包上牛马肉为馅，做成人头的模样，就叫"馒头"。

　　当天夜里，诸葛亮在岸边设下香案，摆上祭品，点起四十九盏灯，读了祭文，其文说："维大汉建兴三年秋九月一日，武乡侯、领益州牧、丞相诸葛亮，谨陈祭仪，享于故殁（mò，死于非命）王事蜀中将校及南人亡者阴魂说：我大汉皇帝，威胜五霸，明继三王。昨自远方侵境，异俗起兵；纵虿尾（指蝎子的尾巴。虿，chài）以兴妖，盗狼心而逞乱。我奉王命，问罪遐荒（边远荒僻之地）；大举貔貅，悉除蝼蚁；雄军云集，狂寇冰消；才闻破竹之声，便是失猿之势。但士卒儿郎，尽是九州豪杰；官僚将校，皆为四海英雄：习武从戎，投明事主，莫不同申三令，共展七擒；齐坚奉国之诚，并效忠君之志。何期汝等偶失兵机，缘落奸计：或为流矢所中，魂掩泉台；或为刀剑所伤，魄归长夜：生则有勇，死则成名，今凯歌欲还，献俘将及。汝等英灵尚在，祈祷必闻：随我旌旗，逐我部曲，同回上国，各认本乡，受骨肉之蒸尝，领家人之祭祀；莫作他乡之鬼，徒为异域之魂。我当奏之天子，使汝等各家尽沾恩露，年给衣粮，月赐廪禄（lǐn lù，禄米；俸禄）。用兹酬答，以慰汝心。至于本境土神，南方亡鬼，血食有常，凭依不远；生者既凛天威，死者亦归王化，想宜宁帖，毋致号啕。聊表丹诚，敬陈祭祀。呜呼，哀哉！伏惟尚飨！"读完后，诸葛亮放声大哭。三军无不落泪，孟获等也都痛哭。瘴烟渐渐散去，隐隐见烟中有数千鬼魂，随风消失。诸葛亮就让把祭品扔进水中，很快就风平浪静了。诸葛亮率大军渡过泸水，来到永昌，留下吕凯助王伉镇守四郡，让孟获回去，孟获哭着与诸葛亮拜别而回。

**成长启示**

诸葛亮平定南方后，路经泸水，风涛大作，军不能渡。询问当地百姓后，制作馒头，以代人首，临江祭奠。不管战争会死多少人，那些活着的人还是要往前看。那些已经过去的佳绩，一转眼间就会在人们的记忆里消失。只有继续不断地前进，才可以使荣名永垂不朽。

**要点思考**

1. 诸葛亮为什么要亲自南征？
2. 七擒孟获最终是为了什么？

**写作积累**

●孟获出马，头顶嵌宝紫金冠，身披缨络红锦袍，腰系碾玉狮子带，脚穿鹰嘴抹绿靴，骑一匹卷毛赤兔马，悬两口松纹镶宝剑，昂然观望，派忙牙长去战王平。

# 第二十八回　空城退敌

**导读**

马谡刚愎自用、独断专行，不仅违抗诸葛亮的命令，又拒绝王平劝阻，硬搬兵法，非要屯兵山上，因而被司马懿所败，导致街亭失守。诸葛亮又该怎么办呢？

曹丕染上寒疾，久治不愈，召大将军曹真、陈群、司马懿来到病床前，让三人好好辅佐曹叡。嘱咐完，他就死了，年仅四十岁。新帝继位后，封钟繇为太傅，曹真为大将军，曹休为大司马，华歆为太尉，王朗为司徒，陈群为司空，司马懿为骠骑大将军并提督雍、凉等州的兵马。

诸葛亮得到消息，怕司马懿精兵练成，成为蜀汉的大敌，就想发兵讨伐。马谡认为征南刚回来，军马疲乏，不宜远征，要施离间计，让魏主自己杀司马懿。魏主中计，撤了司马懿的职，换曹休领二州兵马。

诸葛亮得知此事，大喜说："我想伐魏很久了，无奈有司马懿操练雍、凉之兵。现在他中计遭贬，我还有什么忧虑（语言描写，点明了第一次北伐的缘由）！"第二天，后主早朝，诸葛亮出班，上《出师表》一道。表说："先帝创业未半而中道崩殂；今天下三分，益州疲弊，此诚危急存亡之秋也。然侍卫之臣不懈于内，忠志之士忘身于外者，盖追先帝之殊遇，欲报之于陛下也。诚宜开张圣听，以光先帝遗德，恢弘志士之气；不宜妄自菲薄（过分看轻自己），引喻失义，以塞忠谏之路也。宫中府中，俱为一体；陟罚臧否（zhì fá zāng pǐ，陟：提升；罚：处罚；臧：表扬，褒奖；否：批评。泛指对下级的奖罚或提拔，处分），不宜异同；若有作奸犯科及为忠善者，宜付有司论其刑赏，以昭陛下平明之理；不宜偏私，使内外异法也。侍中、侍郎郭攸之、费祎、董允等，此皆良实，志虑忠纯，是以先帝简拔以遗陛下：愚以为宫中之事，事无大小，悉以咨之，然后施行，必能裨补阙漏，有所广益。将军向宠，性行淑均，晓畅军事，试用于昔日，先帝称之曰能，是以众议举宠为督。愚以为营中之事，事无大小，悉以咨之，必能使行阵和睦，优劣得所。亲贤臣，远小人，此先汉所以兴隆也；亲小人，远贤臣，此后汉所以倾颓也。先帝在时，每与臣论此事，未尝不叹息痛恨于桓、灵也。侍中、尚书、长史、参军，此悉贞良死节之臣，愿陛下亲之信之，则汉室之隆，可计日而待也。臣本布衣，躬耕于南阳，苟全性命于乱世，不求闻达于诸侯。先帝不以臣卑鄙（身份低微，见识短浅），猥自枉屈，三顾臣于草庐之中，咨臣以当世之事，由是感激，遂许先帝以驱驰。后值倾覆，受任于败军之际，奉命于危难之间，尔来二十有一年矣！先帝知臣谨慎，故临崩寄臣以大事也。受命以来，夙夜忧叹，恐托付不效，以伤先帝之明，故五月渡泸，深入不毛。今南方已定，兵甲已足，当奖率三军，北定中原，庶竭驽钝 (shù jié nú dùn，比喻自己的低劣的才能)，攘除奸凶，兴复汉室，还于旧都。此臣所以报先帝而忠陛下之职分也。至于斟酌损益，进尽忠言，则攸之、祎、允之任也。愿陛下托臣以讨贼兴复之效，不效，则治臣之罪，以告先帝之灵；若无兴德之言，则责攸之、祎、允等之慢，以彰其咎。陛下亦宜自谋，以咨诹善道 (询问好的道理。诹，zōu)，察纳雅言，深追先帝遗诏。臣不胜受恩感激！今当远离，临表涕零，不知所言。"刘禅不忍心让他再历艰难危险，谯周又依天象说魏不可伐。诸葛亮不听，谯周苦谏不从，留郭攸之、董允、费祎总理朝政，向宠等官员同守成都。

　　诸葛亮回府安排停当，忽听帐下一老将厉声喝道："我虽年迈，还有廉颇之勇，马援之雄。这两个古人都不服老，为何不用我？"大家一看，原来是赵云。诸葛亮说："我从南方回来，马超已病故，我心很疼，这是折了我一条手臂呀。将军年纪已高，万一有个三长两短，动摇一世英名，也折了我军的锐气。"赵云说："我自随先帝以来，临阵不退，遇敌则先。大丈夫得死于疆场者，幸也，吾何恨焉？愿为前部先锋！丞相不让我当先锋，我就撞死在这里！"诸葛亮再三苦劝不住，说："将军既要为先锋，须得一人同去。"邓芝站出来，说他愿相助赵云。诸葛亮大为高兴，就派赵云领五千精兵打先锋。

　　魏主得知诸葛亮来攻，夏侯楙 (máo) 要为父报仇，主动请战。他本是夏侯渊的儿子，过继给夏侯惇。魏主就封他为大都督，调关西军马迎敌。王朗出来说夏侯楙没上过战场，怕他不可胜任。夏侯楙大怒，指责王朗勾结诸葛亮。众官不敢再劝，他就连夜调二十余万人马迎敌。

诸葛亮率兵经过马超坟墓，就令其弟马岱挂孝，亲自去祭祀。回来得知夏侯楙领兵迎敌，就传令赵云进兵。夏侯楙派西凉大将韩德，领着四个儿子及八万羌兵打先锋。韩德善使开山大斧，有万夫不当之勇，四个儿子都精通武艺，弓马过人。韩氏父子来到凤鸣山，遇上赵云。韩德大骂，赵云挺枪出马杀向韩德，长子韩瑛出战，三回合没过就被赵云刺死。次子韩瑶出战，不敌赵云，三子韩琼、四子韩琪出来，三人围攻赵云。赵云奋起神威，一枪刺中韩琪。一箭射死韩琼，生擒韩瑶。韩德见四个儿子都被赵云擒杀，吓得肝胆俱裂（肝和胆都已经裂开了，形容生命处在极度危险的状态，非常痛苦），拨马就逃。邓芝趁势指挥蜀兵掩杀，大获全胜。邓芝称赞赵云说："将军已七十高龄，仍像当年那样英勇。今天力斩四将，世上少见。"赵云说："丞相嫌我年老不肯用我，我就以此证明一下。"他命人把韩瑶押送大寨，向诸葛亮报捷。

韩德见了夏侯楙，哭诉了兵败的经过，夏侯楙就亲自领兵迎战赵云。韩德要为儿子报仇，抡起开山大斧来战赵云，不上三回合，被赵云一枪刺死。赵云挺枪直取夏侯楙，夏侯楙吓得逃回本阵，魏兵败退十多里。夏侯楙这才相信赵云当年大战长坂坡的事不假。

天水太守马遵两次接到夏侯楙的告急文书，正商议发兵救南安，忽有一人高声阻止："太守中诸葛亮之计矣！"
大家一看是天水本地人，姓姜名维，字伯约，自幼博览群
书，兵法武艺，无所不通，现任中郎将、参军。姜维说：
"听说诸葛亮杀败夏侯楙，困住南安，水泄不通，怎么会有
人自重围之中而出？报信之人又是无名之辈，从不曾见过；
又没有公文，此人是蜀将假扮的。想让太守出城，乘虚而
取天水。"马遵恍然大悟，姜维要将计就计，生擒诸葛亮。
马遵依计，让姜维带三千精兵假作救南安，他与梁虔领兵
出城埋伏，留下梁绪守城。赵云领兵取天水，却中了姜维
的埋伏，杀出重围败逃。诸葛亮得知姜维如此了得，就起
了收服他的心思。定下一些计策，又提来夏侯楙，说："姜
维现在翼城，说是：'只要驸马活着，我愿来降。'我饶了
你，你快去招降姜维。"

　　夏侯楙单人独骑奔向翼城，路上遇见几个难民，都说
是姜维降了蜀。他慌忙来到天水，向马遵说了姜维降蜀的
事。当夜，魏延假扮姜维兵临城下，大骂夏侯楙、马遵。
等真姜维来到城下，马遵大骂他是反贼，乱箭射来。姜维
走投无路，只好投降。诸葛亮高兴地说："我自出茅庐，遍
访贤才，想把平生的学问传给他，却找不到人。今天得到
伯约，满足了我的愿望（为后文姜维继掌蜀国大权、北伐中原埋下伏笔）！"
姜维拜谢了，献上取天水之计。魏主得知诸葛亮连取三城，
问大臣："谁可为朕杀退蜀兵？"王朗保奏大将军曹真为大
都督，曹真举王朗为军师，率军二十万过渭河下寨，商议
退敌之策。王朗说："老夫亲自出马，只要一席话，管叫诸
葛亮拱手而降。"曹真就派人向诸葛亮下了战书。第二天，

双方列成阵势，诸葛亮乘四轮车出阵，诸葛亮在车上拱手，王朗也在马上欠身答礼。王朗说："听说你的大名很久了，今日有幸一会。你既知天命、识时务，为何要发动无名之兵呢？"诸葛亮说："我奉诏讨贼，怎么说是无名？"王朗说："天数有变，皇位更替，是有德之人具有，这是自然之理。从桓、灵二帝以来，黄巾倡乱，天下争横。更有董卓造逆，袁术在寿春称帝，袁绍在河北称雄；刘表占荆州，吕布占徐郡；盗贼四起，社稷有覆灭的危险，百姓生活在水深火热之中。我太祖武皇帝曹操，扫清六合席卷八荒；百姓倾心，四方英雄投靠。不是用权势取的，而是天命所归。文帝曹丕，神文圣武，效法尧禅舜，取得帝位，这不是天心人意吗？你自比管仲、乐毅，为何要逆天理、背人情而行事呢？没听古人说嘛：'顺天者昌，逆天者亡。'现在我大魏带甲士兵百万，良将千员。谅腐草之萤光，怎及天心之皓月？你可投降过来，我们以礼相待，封侯拜相，岂不美哉！"

诸葛亮在车上大笑说："我原以为汉朝老臣必有高论，岂料出此污言秽语（wū yán huì yǔ，指肮脏下流的或不文明的话语）！我有一言，诸军静听：昔日桓、灵之世，汉统陵替，宦官酿祸；国乱岁凶，四方扰攘。黄巾之后，董卓、催、汜等接踵而起，迁劫汉帝，残暴生灵。因庙堂之上，朽木为官，殿陛之间，禽兽食禄；狼心狗行之辈，滚滚当道，奴颜婢膝之徒，纷纷秉政。以致社稷丘墟，苍生涂炭。吾素知汝所行：世居东海之滨，初举孝廉入仕；理合匡君辅国，安汉兴刘；何期反助逆贼，同谋篡位！罪恶深重，天地不容！天下之人，愿食汝肉！今幸天意不绝炎汉，昭烈皇帝继统西川。吾今奉嗣君之旨，兴师讨贼。汝既为谄谀（chǎn yú，谄媚的话，巴结人的意思）之臣，只可潜身缩首，苟图衣食；安敢在行伍之前，妄称天数耶！皓首匹夫！苍髯老贼！汝即日将归于九泉之下，何面目见二十四帝乎！老贼速退！可教反臣与吾共决胜负！"

　　一番话字字句句击中王朗的要害，气得他大叫一声，栽下马来，当时就死了。诸葛亮用羽扇指着曹真说："你可回去整顿人马，明天决战。"诸葛亮在两军阵前骂死了王朗，曹真没办法，只好收兵回营。后来又中计自相残杀，乱成一团。曹真屡次被蜀兵打败，万般无奈之下，只好向魏主求救。钟繇保举司马懿出征，曹叡降诏让司马懿官复原职，并加封他为平西都督，率军抗击蜀兵。

　　曹叡令张郃为先锋，与司马懿一同出征。司马懿引二十万军，出关下寨，请先锋张郃至帐下，说："诸葛亮平生谨慎，不敢造次行事。若是我用兵，先从子午谷直接取长安，早得长安多时了。他不是无谋，只是怕有失，不肯弄险。现在必出军斜谷，来取郿城。如果取郿城，必然分兵两路，一路取箕谷。我已发下檄文，令曹真拒守郿城，如果兵来不可出战。令孙礼、辛毗（pí）截住箕谷道口，如果兵来则出奇兵击之。"张郃说："现在将军该往何处进兵？"司马懿说："我知道秦岭以西有个叫街亭的地方，街亭旁边是列柳城，这两个地方是通往汉中的咽喉要道。诸葛亮欺曹真没有准备，定从此路进军。我与你直接取街亭，离阳平关就不远了。我们要是占领了街亭，那就断了诸葛亮的粮道。如果诸葛亮带兵撤回汉中，我们就在小路设埋伏袭击他们，这样可获全胜；如果诸葛亮不退兵的话，我们就派兵堵住他们的去路，一月无粮，蜀兵都饿死了，诸葛亮必被我擒了。"张郃恍然大悟，说："都督神算！"司马懿说："虽然如此，将军为先锋，不可轻进。当传与诸将：循山西路，远远哨探。如无伏兵，方可前进。若是疏忽，必中诸葛亮之计。"张郃带兵向街亭进发。

诸葛亮得知，心中十分惊慌："司马懿带兵来阻挡我们，一定会攻取街亭，掐断我军的咽喉要道，你们谁敢去街亭把守？"参军马谡愿意前往，诸葛亮说："街亭关系到我军的胜败。周围没有城郭，也没有险要的地势，防守起来很困难。"马谡说："我自幼熟读兵书，颇知兵法。小小的街亭能守不住吗（语言描写，为后面丢失街亭埋下伏笔）？"诸葛亮说："况司马懿不是等闲之辈，先锋张郃也是魏国名将，恐怕你不是他们的对手。"马谡不服气地说："别说是司马懿、张郃，就算是曹叡来了，我也不怕！如果有闪失的话，请丞相杀了我全家。"诸葛亮说："军中无戏言。"马谡说："愿立军令状。"说完马谡立下了军令状。诸葛亮派马谡、王平带领二万五千兵马去把守街亭。临走的时候，诸葛亮又叮嘱王平说："我知道你平生谨慎，特以此重任相托。你可小心谨守此地：下寨必当要道之处，使贼兵急切不能偷过。安营完毕，便画四至八道地理形状图本给我送来。凡事要商议停当而行，不可随意。如果所守的地方没有出现危险，就是取长安的第一功。牢记！牢记！"诸葛亮担心马谡、王平有闪失，又派高翔带人去把守列柳城，派魏延到街亭的右边去防守。

马谡、王平带兵赶到街亭，王平建议在路口安扎营寨，马谡看了看街亭周围的地势，笑着说："丞相也太多心了，量此山僻之处，魏兵如何敢来！"王平说："虽然魏兵不敢来，可在这五路总口下寨；令军士伐木为栅，作为长久之计。"马谡说："大路之中岂是安营下寨的地方？旁边有一山，四面都不相连，而且树木很多，此乃天赐之险。可以在山上屯军。"王平说："参军差矣。如果屯兵在大路中间，筑起高墙，贼兵就是有十万，也不能偷过；如果放弃要路，屯兵在山上，如果魏兵突然到来，四面围定，如何是好？"马谡哈哈大笑，说："你这是妇人之见！兵法云：凭高视下，势如劈竹。如果魏兵到来，我叫他片甲不回！"王平说："我多次随丞相经阵，每到之处，丞相尽心指教。现在看这山，乃是绝地。如果魏兵断我们饮水之道，军士不战自乱。"马谡说："休得胡说！孙子云：置之死地而后生。如果魏兵绝我水道，蜀兵岂不是更加死战？以一可当百。我常读兵书，丞相很多事都得问我，你凭什么相阻！"王平说："如果你想在山上下寨，可分一部分兵给我，我在路上下一小寨，为掎角之势。如果魏兵到了，可以相互呼应。"马谡不答应。忽然山中的居民成群结队地奔跑，说是魏兵已到。王平想集合军队。马谡说："你既然不听我的命令，就给你五千兵，你自己去下寨。等我破了魏兵，见到丞相时，没有你的功劳！"王平引兵离山十里下寨，画成图本，连夜差人去禀诸葛亮，说马谡私自在山上下寨。

司马懿令次子司马昭前去探路，如果街亭有兵守御，就按兵不动。司马昭探了一遍，回见司马懿说："街亭有兵守着。"司马懿叹道："诸葛亮真是神人呀，我比不上他！"司马昭笑着说："父亲何故自堕志气？孩儿料那街亭很容易取得。"司马懿问："你怎敢说此大话？"司马昭说："孩儿亲自查看，大路当中并无寨栅，大军都屯在山上。"司马懿大喜，说："如果都在山上，这是老天让我成功呀！"马上更换衣服，领着百余骑亲自来看。当夜天晴月朗，司马懿巡哨了一遍，刚要回营。马谡在山上见了，大笑着说："他若想保命，就不敢来围山 (语言描写，刻画了马谡骄傲自大)！"传令诸将："如果敌兵来，见山顶上红旗招动，立刻四面都冲下去。"

司马懿回到寨中，使人打听是谁引兵守街亭。回报说："是马良的弟弟马谡。"司马懿哈哈大笑，说："马谡徒有虚名，实乃庸才！诸葛亮用此人，如何不误事！"又问："街亭左右还有其他军队吗？"探马报："离山十里有王平安营。"司马懿乃命张郃引一军，挡住王平来路。又令人先断了马谡的水道，等蜀兵自乱，然后乘势击之。司马懿大驱军马，一拥而进，把山四面围定。马谡在山上看时，只见魏兵漫山遍野，旌旗队伍，甚是严整。蜀兵见了，尽皆丧胆，不敢下山。马谡将红旗招动，军将你推我，我推你，没有一人敢动。马谡大怒，亲自杀了二员大将。众军惊惧，只得下山来冲魏兵。魏兵端然不动，蜀兵又退上山去。马谡见势不妙，叫军士紧守寨门，只等外边接应。

王平想去解救马谡，却被张郃带兵拦住，王平打不过张郃，只好退走。马谡的兵士在山上饥渴难耐，很多人都偷偷跑到山下投降魏兵了，马谡根本阻止不了。半夜时分，司马懿又让魏兵沿山放火，山上蜀兵更加混乱。马谡看守不住了，只好带兵逃往山下。当天晚上，王平、魏延、高翔为了夺回街亭，就去偷袭魏军营寨，不想又掉进了魏兵的圈套中，死伤了很多人，无奈之下，三人只好逃往阳平关。

诸葛亮看到王平送来的图本，拍案叫苦："马谡这是坑害我们啊！不在路口扎营，反倒跑山上去下寨，要是魏兵围山断水，那街亭就守不住了。失去街亭，我们就无路可退了。"长史杨仪要去替换马谡，刚要走，就听到了街亭、列柳城失守的消息。诸葛亮捶胸顿足（用拳敲打胸部，踩着双脚。形容非常悲痛与懊悔的样子），仰天长叹："大事完了！这是我的过错啊！"

诸葛亮刚到西城县，司马懿带着十五万大军杀来了，此时诸葛亮身边只有一群文官。他带的人马有一半去押运粮草了，只剩下了二千五百兵士。诸葛亮登城观望，魏兵已经杀过来了。城里的官员惊慌失措，脸都变了颜色。诸葛亮十分镇定，他下令藏起旗帜，所有兵士都要躲起来，又让几个蜀兵假扮成百姓的模样，到城门口打扫街道。诸葛亮把一张古琴摆到城楼上，不慌不忙地坐在旁边焚香操琴。

司马懿看到西城县城门大开，几个百姓在城门口旁若无人地扫地，看到诸葛亮坐在城楼上，悠然自得地弹着琴。司马懿看到这一幕，心里疑惑，就命令魏兵全军撤退。司马昭感觉奇怪，说"莫非诸葛亮无军，故作此态？父亲何故便退兵？"司马懿解释说："诸葛亮一生小心谨慎，从来不肯冒险，今大开城门，必有埋伏。我兵若进，就中了他的计了。你们岂能知道？还是赶紧撤兵吧。"于是两路兵都退去了。诸葛亮见魏军远去，抚掌而笑。众官无不骇然，问诸葛亮："司马懿是魏国名将，现在统领十五万精兵到此，见了丞相，立刻退去，这是为何？"诸葛亮说："此人料想我生平谨慎，必不弄惊险之举；见这般模样，怀疑城里有伏兵，所以退去。我不是要行险，只是不得已而用之。此人必引军向山北小路而去。我已令关兴、张苞二人在那等候。"众人惊服，说："丞相之机，神鬼莫测。如果是我们，必会弃城而跑了。"诸葛亮说："我军只有二千五百人，若弃城而跑，必然不能远走。不得不为司马懿所擒呀！"

蜀兵都退回汉中去了，司马懿领一军又到西城，问剩下的居民，都说诸葛亮只有二千五百军在城中，又没有武将，只有几个文官，没有埋伏。司马懿悔之不及，仰天长叹："我不如诸葛亮啊！"

诸葛亮回到汉中，马谡自缚跪于帐前。诸葛亮说："你自幼饱读兵书，熟谙战法。我多次叮咛告诫：街亭是我们的根本。你以全家之命，领此重任。如果早听王平之言，岂有此祸？现在败军折将，失地陷城，都是你的过错造成的！若不明正军律，何以服众？"命左右推出斩了。马谡哭着说："丞相视我如子，我也以丞相为父。我是死罪难逃。愿丞相思舜帝殛鲧用禹（传说是禹的父亲。有大义灭亲之意。殛，jí；鲧，gǔn）之义，我虽死亦无恨！"说完大哭。诸葛亮流着泪说："我与你义同兄弟，你的孩子就是我的孩子不必多嘱咐。"左右推出马谡，一会儿，军士把马谡的首级呈上。诸葛亮大哭不已。蒋琬问："现在马谡有罪，已正军法，丞相为何痛哭呀？"诸葛亮说："我不是为马谡而哭。我想到先帝在白帝城临危之时，曾嘱吾说：'马谡言过其实，不可大用。'现在果应此言。深恨自己不能明察，追思先帝之言，因此痛哭（照应上文刘备评价马谡之事）！"大小将士无不流涕。马谡死时三十九岁。后人有诗曰："失守街亭罪不轻，堪嗟马谡枉谈兵。辕门斩首严军法，拭泪犹思先帝明。"

## 成长启示

马谡丢失街亭，迫使蜀军退回汉中，诸葛亮虽惜马谡之才，但为了严肃军纪，挥泪将马谡斩首。马谡虽有才能，却过于骄傲自负。从他身上我们可以看出，一个骄傲的人，结果总是在骄傲里毁灭了自己。他一味自负自大，自吹自擂，遇事只顾浮夸失实，到头来只能造成更大的损失。

## 要点思考

1. 诸葛亮为什么要任用马谡守街亭？
2. 诸葛亮是如何吓退司马懿的？

## 写作积累

●咨谋 肝胆俱裂 诡谲 捶胸顿足

# 第二十九回　汉丞相诸葛归天

**导读**

诸葛亮在五丈原积劳成疾，呕血昏迷，蜀营上下十分担心。诸葛亮躺在病榻上，自知生命垂危，但由于大事未成，耿耿于怀，遂寄希望于禳星术，以延缓寿命。马上就要成功了，却被一人所破，这人是谁呢？

蜀汉建兴六年秋九月，诸葛亮在汉中操练军马。这时兵强马壮，粮草丰足，所用之物，一切完备，正准备再次出师伐魏。就设宴大会诸将，忽然一阵大风，从东北角上起，把庭前松树吹折了。众人大惊。诸葛亮就占了一课，说："这阵风要损我一员大将！"诸将都不信。正饮酒的时候，忽报镇南将军赵云长子赵统、次子赵广来见丞相。诸葛亮大惊，手里的酒杯掉落在了地上，说："子龙休矣！"二子入见后哭道："我父昨夜三更病重而死。"诸葛亮跌足而哭，说："子龙身故，国家损一栋梁，我失去一臂啊！"众将无不流泪。诸葛亮令二子入成都面君报丧。后主听说赵云死了，放声大哭："朕年幼的时候，要不是子龙就死在乱军之中了！"即下诏追赠大将军，谥封顺平侯，葬于成都锦屏山之东。建立庙堂，四时享祭。后人有诗曰："常山有虎将，智勇匹关张。汉水功勋在，当阳姓字彰。两番扶幼主，一念答先皇。青史书忠烈，应流百世芳。"

后主听说诸葛亮准备再次北伐，就问众臣意见，这时杨仪送丞相的《出师表》到了。后主看完表甚是高兴，即令诸葛亮出师北伐。本来一切顺利，没想到李严派人前来告急，说东吴准备兴兵入侵蜀国。诸葛亮心中担忧，只好率领大军退回西川。诸葛亮回到汉中才知道，李严是因为军粮筹备不济，怕他怪罪才谎报军情。后主一怒之下把李严谪为庶人。

建兴十二年二月，诸葛亮率兵第六次北伐。为了能够占领渭水南岸，派魏延、马岱假装攻打魏兵的营寨，引诱司马懿前来救援；派吴班、吴懿带兵烧断浮桥，其他各路兵马去进攻旱营。可惜诸葛亮的计谋被司马懿识破，司马懿伏击蜀兵，蜀兵大败。诸葛亮心中忧闷，派费祎去东吴请东吴发兵共同讨伐曹魏，孙权设宴款待费祎。饮酒时，孙权问："丞相军前，用谁当先锋官？"费祎说："以魏延为首。"孙权笑了，说："这个人勇猛有余，而心术不正。如果有一天没了诸葛亮，他必然为祸。诸葛亮岂能不知道（语言描写，从侧面点明诸葛亮死后魏延必反）？"费祎将孙权谈论魏延的话告诉了诸葛亮。诸葛亮叹道："真是聪明之主！我不是不知此人，只为爱惜他的勇猛，故而用之。"费祎说："丞相早做决断。"诸葛亮说:"我自有办法。"费祎辞别诸葛亮回成都,孙权也起兵三十万分三路进兵中原。

诸葛亮的粮草都囤积在剑阁,因为道路崎岖,来回搬运非常困难。一天,诸葛亮乘小车来祁山前查看地理。到一谷口处,见此谷像葫芦的形状,里面可容千余人。背后两山环抱,只能通过一人一骑。诸葛亮看了心中大喜,问向导:"此处是什么地方?"向导说:"这是上方谷,又号葫芦谷。"诸葛亮回到帐中,唤杜睿、胡忠二人授以密计。令军匠一千余人入葫芦谷中,制造木牛流马。又令马岱领五百兵守住谷口。诸葛亮对马岱说:"这些匠人不许放出,外人不许放入。我会时常来此巡视。活捉司马懿之计,就在这个地方。切不可走漏了消息。"马岱受命而去。

诸葛亮命工匠制造的木牛流马,既不喝水也不吃草料,还可以昼夜不停地搬运。司马懿听说了心中十分诧异,就派兵夺得了三五匹木牛流马。司马懿看了木牛流马,欢喜地说:"你诸葛亮会用,难道我就不会用吗?"找来了上百个能工巧匠,让他们把木牛流马拆开,仿照制作,不到半个月就造出两千多只。魏兵驱驾着木牛流马去搬运粮草,往来不绝。诸葛亮派人假扮魏兵去袭击,魏兵措手不及,被蜀兵劫了粮草。郭淮听说军粮被劫,赶紧去救,王平让人把它们丢弃在路上。郭淮让魏兵驱动木牛流马,但是无论用什么样的办法,木牛流马就是纹丝不动。这时,魏延、姜维、王平分三路杀来,郭淮大败逃走。王平让军士把牛马的舌头扭转过来,这样木牛流马又能行走了。郭淮心中惊诧，再也不敢追赶了。司马懿听说郭淮兵败，急忙引军来救。刚走到半路，一声炮响，从险峻之处杀出了张翼、廖化。司马懿见了大惊，回马就跑。魏军慌乱，各自逃窜。

司马懿逃回寨中，心甚恼闷。又听说东吴三路攻打魏国，朝廷令司马懿坚守勿战。司马懿受命后建深沟高垒，坚守不出。后来诸葛亮派人诈降，告诉司马懿，诸葛亮的粮草都在上方谷。司马懿试探性地出兵，连续几次袭击都获全胜，而且被俘的蜀兵还告诉司马懿，诸葛亮现在并不在祁山，而是在上方谷屯粮。司马懿派人到上方谷查探，探马回报司马懿说，山谷中只有草房，并未看到伏兵。司马懿认为这里就是蜀兵积粮的地方，于是带人进入山谷烧粮。魏兵刚进山谷，司马懿心里疑惑，对他两个儿子说："要是有兵截断谷口，那该怎么办?"话没说完，只听得喊声大震，蜀兵开始在山上放火箭，山下的草房都被点燃了，火势冲天，魏兵根本就逃不出去。司马懿惊得手足无措，下马和两个儿子抱头痛哭说："我们父子三人今天就要死在这里了!"正在痛哭的时候，忽然狂风大作，黑气漫空，一声雷响下起了倾盆大雨，山谷中的火都被浇灭了。司马懿父子趁机逃了出去，见渭南营寨早就被蜀兵占领了，只好逃回渭北营寨。诸葛亮听说司马懿父子没被烧死，叹息道："谋事在人，成事在天。不可强求啊!"

诸葛亮带领蜀兵驻扎在五丈原后，屡次派人到魏营搦战，司马懿就是不肯出来。诸葛亮送他一件女人穿的衣服来侮辱他，司马懿看到心中大怒，面上假笑，说："诸葛亮把我看作女人啊!”司马懿问来使:“诸葛亮身体如何?”使者说:“丞相很晚才睡,吃得也很少。”司马懿对他的部下说:“诸葛亮吃得少而事情繁多,他活不了多长时间了!”使者回来跟诸葛亮说了,诸葛亮说:“他深知我呀!”

费祎来见诸葛亮,说东吴三路人马无功而退,诸葛亮听后长叹一声,昏倒在地上,众人把他救醒,诸葛亮叹息说:“我的心神昏乱,旧病复发,恐怕也活不长了!”当晚,诸葛亮带病走出营帐,仰观天象,发现自己的将星昏暗,知道自己不行了。姜维建议用祈禳(qí ráng,祷告神明以求平息灾祸、福庆延长)之法来延长寿命。诸葛亮就派姜维带着四十九个甲士在帐外把守,他在帐内安置一盏本命灯守护着。如果七天之内灯不灭,他的寿命就能增加一纪(古代指十二年);要是灯灭了,那就是一死。一连六天晚上,本命灯明亮,诸葛亮心中很高兴。

司马懿夜观天象,得知诸葛亮生病了,就派大将夏侯霸到蜀营去试探,魏延慌忙去诸葛亮的营帐报告,走的脚步很急,竟然将主灯扑灭了。诸葛亮弃剑而叹说:“死生有命,不可得而禳也!”姜维看见魏延踏灭了灯,心中愤怒,拔剑就要杀他。诸葛亮制止说:“这是我命该绝,不是魏延的过错。”诸葛亮让魏延出帐迎敌。看到魏延杀出来,夏侯霸慌忙引军退走。

诸葛亮躺在病榻上对姜维交代完后事,又把马岱唤入营帐中,秘密嘱托了一番,马岱领计退出(为后文马岱斩杀魏延埋下伏笔)。诸葛亮又把杨仪叫到床边,给他一个锦囊,然后说:

"我死之后，魏延一定造反，等与他对阵时，你打开这个锦囊，那时自有杀魏延的人出现。"杨仪哭着接受命令。诸葛亮强自支撑病体，命左右之人把他扶上小车，出寨遍观各营；一阵秋风吹过，诸葛亮感觉彻骨生寒，于是长叹一声："再不能临阵讨贼矣！悠悠苍天，曷此其极！"

　　回到帐中，诸葛亮令杨仪取来文房四宝，在卧榻上手写遗表，上交后主。表略说："伏闻生死有常，难逃定数；死之将至，愿尽愚忠：臣亮赋性愚拙，遭时艰难，分符拥节，专掌钧衡，兴师北伐，未获成功；何期病入膏肓，命垂旦夕，不及终事陛下，饮恨无穷！伏愿陛下：清心寡欲，约己爱民；达孝道于先皇，布仁恩于宇下；提拔幽隐，以进贤良；屏斥奸邪，以厚风俗。臣家成都有桑八百株，薄田十五顷，子弟衣食，自有余饶。至于臣在外任，别无调度，随身衣食，悉仰于官，不别治生，以长尺寸。臣死之日，不使内有余帛，外有赢财，以负陛下也。"诸葛亮写完，又嘱咐杨仪："我死之后，不能发丧。可制作一个大龛（kān，供奉佛像、神位的小阁子），将我的尸体放在龛中；把七粒米放在我口内；脚下再放一盏明灯；军中不要举哀，则我的将星就不坠。司马懿见我将星不坠，必然惊疑。你就可以一营一营缓缓而退。若司马懿来追，你将我先时所雕木像，放在车上，司马懿见了必然惊走。"诸葛亮说完就昏了过去。后主得报诸葛亮病危，惊慌失措，急忙派尚书李福连夜赶到军中询问后事。李福见诸葛亮昏绝，口不能言，大哭说："我误了国家之大事了！"过了一会儿，诸葛亮又醒

了，见李福立在榻前。诸葛亮说："我已知道你的来意。"
李福说："我奉天子之命，问丞相百年后，谁可继任大事。"
诸葛亮说："我死之后，蒋琬可以。"李福问："蒋琬之后，
谁可继之？"诸葛亮说："费祎可继之。"李福又问："费祎
之后，谁当继者？"诸葛亮没有回答。众将近前一看，已去
世了。时建兴十二年秋八月二十三日，享年五十四岁。李
严听说诸葛亮去世，大哭一场，郁郁而死。原来还想诸葛
亮给他一个补过的机会，诸葛亮死后，恐怕没人再用他了。
后元微之有赞诸葛亮诗曰："拨乱扶危主，殷勤受托孤。英
才过管乐，妙策胜孙吴。凛凛《出师表》，堂堂八阵图。如
公全盛德，应叹古今无！"

　　司马懿带兵来到五丈原时，发现蜀兵都退走了，派兵
去追。快要追上了，却看见诸葛亮坐在车上，司马懿大惊
失色，拼命逃跑。魏兵魂飞魄散，弃甲丢盔，抛戈撇戟，
各逃性命，自相践踏，死者无数。司马懿跑了五十里，后
面有两员魏将赶上来，扯住马嚼环叫道："都督不要惊慌！"
司马懿用手摸着头说："我还有头吗？"魏将说："都督不要
怕，蜀兵走远了。"司马懿喘息半晌，神色方定。司马懿后
来确知诸葛亮已死，对众将说："诸葛亮已死，我们都可以
高枕无忧了！"见了诸葛亮安营下寨的地方，前后左右，整
齐有法，司马懿叹道："此天下奇才也！"于是引兵回长
安了。

　　姜维退到栈道口，听说魏延烧断栈道，引兵拦路，杨
仪赶紧看完诸葛亮遗留的锦囊后，指着魏延说："丞相在

时，知你久后必反，叫我提备，现在果然应验。你敢在马上连叫三声谁敢杀我，便是大丈夫，我立刻献汉中城池给你。"魏延大笑说："杨仪匹夫听着！诸葛亮在的时候，我还怕他三分；他现在死了，这天下我还怕谁？不要说连叫三声，就是叫三万声，又有何难！"魏延在马上大叫："谁敢杀我？"话还没说完，就听见一个人厉声说："我敢杀你！"一刀就把魏延杀了（与上文相呼应）。众人一看，原来是马岱。

## 成长启示

夕阳如血，晚霞灿烂，诸葛亮强支病体出营帐，最后一次与他所喜爱的兵士谈天。然后对蜀主派来的使者嘱完后事之后，便深怀遗憾地闭上双目，完成了他一生所奉行的"鞠躬尽瘁，死而后已"的信念。在生活中，最可怜的是一辈子没有理想和信念的人，而信念也只有在积极的行动之中才能生存，才能够得以加强和磨砺。

## 要点思考

1. 诸葛亮禳星祈寿时，魏延为什么要闯进来？

2. 诸葛亮对马岱交代了什么？

## 写作积累

●诸葛亮强自支撑病体，命左右之人把他扶上小车，出寨遍观各营；一阵秋风吹过，诸葛亮感觉彻骨生寒，于是长叹一声："再不能临阵讨贼矣！悠悠苍天，曷此其极！"

# 第三十回　魏都督司马篡权

**导读**

魏主曹叡身染重病，急诏太尉司马懿还朝，效仿刘备托孤于诸葛亮之举，将年方八岁的太子曹芳托于司马懿和大将军曹爽。无权的司马懿与手握重兵的曹爽能和睦相处吗？

诸葛亮死后，司马懿返回长安。后来辽东发生叛乱，魏主派司马懿前去平乱。曹魏景初三年正月，曹叡病危，急诏司马懿还朝。司马懿赶到许昌，见了魏主。曹叡说："朕唯恐不得见卿；今日得见，死而无憾了。"遂宣太子曹芳，大将军曹爽，侍中刘放、孙资等，都到御榻前。曹叡拉着司马懿的手说："昔日刘备在白帝城病危，以幼子刘禅托孤于诸葛亮，诸葛亮因此竭尽忠诚，至死方休。偏邦尚然如此，何况大国乎？朕幼子曹芳，今年才八岁，幸有太尉及宗兄元勋旧臣，竭力相辅，无负朕心！"说完，以手指太子，不一会儿就死了。

　　司马懿、曹爽辅佐太子曹芳即位。曹爽是曹真的儿子，官拜大将军，总摄朝政。门客何晏对曹爽说："主公手中的大权，不可以委托给别的人，以免生后患。"曹爽说："司马懿和我共同接受先帝托孤的重任，岂能背弃他？"何晏冷笑道："昔日你父和司马懿共抗蜀兵时，总是受他的气，最后郁郁而终，主公难道不知道吗（语言描写，点明曹爽与司马懿冲突的因由）？"曹爽猛然省悟，于是上奏曹芳，说："司马懿功高德重，可加为太傅。"从此魏国兵权都归曹爽掌管，司马懿手中没有实权，只好躲在家里。

　　曹爽掌握大权后，只知道饮酒作乐，并不理会司马懿父子的情况。恰好魏主迁李胜为荆州刺史，曹爽让李胜前去向司马懿辞行，借机探听消息。司马懿得知，赶紧去掉衣冠，披散着头发躺在床上。李胜进了太傅府，司马懿让两个婢女把他搀扶起来。李胜说："一向不见太傅，谁想如此病重。今天子命某为荆州刺史，特来拜辞。"司马懿假装没听明白，打岔说："并州临近朔方，你要好好防备啊！"李胜回答说："是荆州刺史，不是并州。"司马懿笑着问："你刚从并州来的吗？"李胜说："是南方的荆州啊！"司马懿哈哈大笑："原来你是从荆州来的啊！"李胜皱着眉头问："太傅怎么病成了这样？"侍从在旁边回答说："太傅耳聋。"李胜只好把他要说的写在纸上给司马懿看。司马懿看完笑着说："我病得耳朵都聋了，你去那里要保重啊！"说完用手指着嘴，婢女送上一碗汤，刚喝了一口，汤水洒了他一身。司马懿假意哽咽着说："吾今衰老病笃（病情很严重。笃，dǔ），死在旦夕矣。二子不肖，望君教之。君若见大将军，还请你让大将军多看顾看顾他们。"说完就倒在床上，大口喘着粗气。李胜拜辞司马懿，回见曹爽，细言其事。曹爽大喜："此老若死，吾无忧矣！"等李胜离开了太傅府，司马懿对两个儿子说："李胜回去一定告诉曹爽我现在的状况，曹爽也就不会猜忌我了，等他出城打猎的时候，我们就可以行动了。"

曹爽兄弟三人奏请曹芳出城打猎，大司农桓范进谏说："你们兄弟不能一起出城，若城中发生变乱，那该如何？"曹爽斥责说："谁敢作乱，你不要瞎说！"司马懿听说曹爽兄弟跟随魏主出城了，赶紧派人控制曹爽的军营。

司马懿带人到后宫见了郭太后，声称曹爽依权祸乱国家，请郭太后降旨问罪，太后心中惧怕，只好应允。司马懿担心桓范走脱，就让人请他。桓范见情况紧急，就骑马跑了。

曹爽听说城内有变，吓得差点从马上掉下来。桓范赶来，对曹爽说："司马懿在城中发动兵变，将军请天子移驾许都，调集外地的兵马讨伐司马父子。"曹爽说："我的全家都在城中，怎么能到别的地方求援呢？"桓范一再劝解，曹爽只是一味地痛哭流涕。司马懿派人告诉曹爽说："太傅想削去你的兵权，没有别的意思。你可早日回城。"曹爽想了好久，叹息说："我不起兵，情愿弃官，但为富家翁足矣！"桓范哭着走出营帐，边走边骂："曹子丹（曹爽的父亲曹真，字子丹）以智谋自矜！今兄弟三人，一个个比猪还要蠢啊！"

司马懿诬蔑曹爽等人图谋篡逆，把曹爽及其同党都杀了，魏主曹芳封司马懿做丞相，从此司马氏掌握了魏国的大权。夏侯霸是曹爽的宗族，心中害怕，只好到蜀国投奔后主刘禅。姜维设宴款待夏侯霸，并问他魏国的情况。夏侯霸认为司马懿刚掌握重权，还无暇顾及国外，但魏国年轻的将领钟会、邓艾都是奇才，将来会成为吴、蜀的大患。

姜维满不在乎地说："量此孺子，何足道哉！"

姜维奏请后主说："司马懿谋杀曹爽，又来赚夏侯霸，霸因此投降。目今司马懿父子专权，曹芳懦弱，魏国将危。臣在汉中有年，兵精粮足；臣愿领王师，即以霸为向导官，克服中原，重兴汉室：以报陛下之恩，以终丞相之志。"尚书令费祎说："最近蒋琬、董允都相继而亡，内治无人。伯约只宜待时，不宜轻动。"姜维说："不然。人生如白驹过隙（像白色骏马在细小的缝隙前跑过一样。形容时间过得极快），似此迁延岁月，何日恢复中原乎？"费祎又说："孙子云：知彼知己，百战百胜。我等皆不如丞相远甚，丞相尚不能恢复中原，何况我等？"姜维说："吾久居陇上，深知羌人之心；今若结羌人为援，虽未能克复中原，自陇而西，可断而有也。"后主刘禅说："卿既欲伐魏，可尽忠竭力，勿堕锐气，以负朕命。"于是姜维一面派人到陇西请羌人派兵相助，一面让蜀将句安、李歆引兵把守麴山的城池。

郭淮、陈泰带兵切断了通往汉中的粮道，也截断了山上的水源。李歆向姜维求救，夏侯霸建议出兵牛头山，袭击魏兵后路。没想到中了埋伏，姜维无奈，只好退兵，郭淮、陈泰分两路夹击，姜维损失了几万兵马，大败逃回阳平关。

嘉平三年八月，司马懿身染重病，他把两个儿子叫到床榻前嘱咐说："吾事魏历年，官授太傅，人臣之位极矣；人皆疑我有异志，吾尝怀恐惧。吾死之后，汝二人善理国政。慎之！慎之！"司马懿死后，魏主曹芳封他的长子司马师为大将军，掌管军国大事；封其次子司马昭为骠骑上将军。

这时东吴陆逊、诸葛瑾都死了，大小事务都归诸葛恪。太元元年秋八月初一日，忽起大风，江海涌涛，平地水深八尺。孙坚、孙策的陵前所种的松柏，都被风拔起，直飞到建业城南门外的道路上。孙权因此受惊成病。到第二年四月，病势沉重，召太傅诸葛恪、大司马吕岱到榻前，嘱以后事。孙权在位二十四年，死时七十一岁。吴主孙权死后，诸葛瑾的儿子太傅诸葛恪立孙权的三儿子孙亮为帝。诸葛恪要进兵中原，就约姜维出兵一起攻打曹魏，然后平分天下。

## 成长启示

权倾朝野的曹爽以为高枕无忧，不顾桓范的劝阻，每日饮宴作乐、醉卧梦乡、出城游猎。最终被司马懿抓住机会，一举夺得兵权。因为念念不忘城中的娇妻美妾、金银财宝，于是拱手交出兵权，然而依然被司马懿以结党谋反为由，诛灭三族。所以说，在人生的大风浪中，我们要学习船长的做法，在狂风暴雨之下把笨重的货物扔掉，以减轻船的重量。

## 要点思考

1. 司马懿是怎么夺得兵权的？

2. 姜维是以什么理由出兵攻打魏国的？

## 写作积累

● 打盆　篡逆　白驹过隙

● 姜维说："不然。人生如白驹过隙，似此迁延岁月，何日恢复中原乎？"

# 第三十一回　九伐中原

**导读**

蜀国大将姜维为继承诸葛亮之遗志，匡扶汉室，决定以魏国降将夏侯霸为向导，起兵二十万，北伐中原。他能够成功吗？

蜀汉延熙十六年秋，姜维让羌王带兵到南安，然后起兵二十万，令廖化、张翼做先锋，夏侯霸为参谋，出阳平关伐魏。司马师也令司马昭为大都督，带兵到陇西防御蜀兵。

司马昭听说蜀兵用木牛流马搬运粮草，担心姜维会在中原长久用兵，就让徐质断蜀兵粮道。没料到中了蜀兵埋伏，姜维用枪刺倒了他的座下马，徐质跌落地上被蜀兵乱刀砍死。夏侯霸让蜀兵打着魏军旗号冲进司马昭大营，司马昭只好逃到铁笼山上。山上的泉水也只够百人饮用，魏兵人马枯渴，无法再作战，司马昭仰天长叹说："我就要死在这个地方了！"

郭淮得知司马昭被困在铁笼山上，就要提兵解救，陈泰建议到羌兵那里去诈降，引诱羌兵来偷袭魏兵营寨，借此擒拿羌王。羌王果然中计，被魏兵生擒活捉。郭淮好言相劝，羌王愿意帮他们击退蜀兵。蜀兵毫无防备，被羌兵和魏兵里外夹攻，姜维连忙上马逃走。因为走得慌忙，箭都掉到了地上，只剩下一个空箭壶。郭淮在后面紧紧追赶。姜维假装拽弓弦，郭淮一连躲了几次都没看到箭射过来，知道姜维身上并没有箭，就拉开弓一箭朝姜维射过去。姜维往旁边一躲，顺手接住了箭，等郭淮近了，用尽全力一箭往郭淮面门射去，郭淮翻身落马，血流不止而死。

司马氏兄弟独揽朝政，魏主曹芳战栗不已（非常害怕而不停地浑身打战），如针刺背。为了除掉祸患，曹芳写下血诏，让光禄大夫张缉等人带出宫去，没想到却被司马师带人搜出。司马师诛灭了张缉等人的三族，废掉了曹芳的帝位，另立高贵乡公曹髦（máo）为新君。

第二年二月，司马师卧病不起，临死前他对司马昭说："吾今权重，虽欲卸肩，不可得也。汝继我为之，大事切不可轻托他人，自取灭族之祸。"魏主曹髦让司马昭到许昌屯军，以防范东吴，司马昭心中犹豫未决。钟会说："大将军新亡，人心未定，将军若留守于此。万一朝廷有变，悔之何及？"司马昭从之，起兵还屯洛水之南。曹髦不敢多言，只好封司马昭为大将军，主持朝政。

姜维对后主说："司马师新亡，司马昭初握重权，必不敢擅离洛阳。臣请乘间伐魏，以复中原。"姜维引兵五万向袍罕（今甘肃临夏）进发，兵马到达洮水时，雍州刺史起兵七万前来迎战。蜀兵退到洮水岸边，姜维大声呼喊手下将士："情况紧急，大家一起努力打退敌军！"蜀兵奋力杀回，魏兵逃回城中，再也不敢出来。

张翼劝说姜维应该借这次胜利赶快退兵，以免遇到不测，姜维执意不听。兖州刺史邓艾、征西将军陈泰兵分两路来救，姜维看到满山遍野都是魏兵旗号，以为中了埋伏，慌忙下令退兵。姜维逃回汉中后，为了稳定人心，就上表自贬为后将军。

蜀汉延熙二十年，细作报告姜维说诸葛诞起兵讨伐司马昭，东吴丞相孙琳派兵协助。姜维心中欢喜，决定进兵长城。长城守将司马望打不过姜维，只好死守城池。邓艾带兵救援。邓艾在渭水下寨后，告诉长城守军不要出战，等着司马昭带兵赶来，三路夹击姜维。司马昭打败了吴兵后，火速来解长城之围。姜维害怕被包围，只好传令退兵，他哀叹说："这次伐魏，又成画饼了。"这已经是姜维第五次北伐中原无功而返了。

蜀汉景耀元年冬天，大将军姜维以廖化、张翼为先锋，自己与夏侯霸总领中军，带领二十万蜀兵往祁山进发。姜维给邓艾下战书，要和他斗阵法，邓艾欣然答应。姜维摆下长蛇卷地阵引诱魏兵前来进攻，邓艾带兵贸然闯入阵中，被蜀兵团团包围。危急关头，司马望带人从长蛇卷地阵的头部攻入，救出了邓艾。蜀兵趁邓艾兵败，攻占了祁山九寨。

司马望建议邓艾说："蜀主刘禅，日夜迷恋酒色，不理政事，宠幸宦官黄皓，我们可以用反间计召回姜维，这样就可以化解危机了。"邓艾派人贿赂黄皓，散布流言，说姜维怨恨刘禅，不久就会投靠魏国。刘禅信以为真，星夜下诏让姜维班师回朝。姜维知道是小人作梗，只好劝谏了后主一番，然后带兵驻守汉中。

司马昭逼迫魏主曹髦封他为晋公，加九锡（细节描写，揭示了司马昭的野心）。曹髦心中不忿，聚集宫中的守卫、苍头、官僮共三百多人讨伐司马昭。王经跪在曹髦车前，大哭说："今陛下领数百人伐昭，是驱羊而入虎口耳，空死无益。臣非惜命，实见事不可行也！"曹髦铁了心要杀司马昭，哪里能听得进去劝告。司马昭的心腹贾充、大将成济带着几千铁甲禁兵围住曹髦。曹髦拿着宝剑大声呵斥说："我是天子！你们围攻宫廷，想弑君造反吗？"贾充对成济说："司马公养你是为了什么？就是为了今天！"成济手拿铁戟，回头问贾充："杀了他，还是绑了他？"贾充阴险地说："司马公有令：只要死的。"成济一戟刺中了曹髦前胸，曹髦手下的人吓得四散奔逃。

贾充等人劝司马昭称帝，司马昭想效仿曹操的做法，等他死后让儿子司马炎篡位。听说司马昭弑了曹髦，立了曹奂，姜维笑着说："这次伐魏又师出有名了。"派廖化带兵攻打子午谷，让张翼带人攻取骆谷，他亲自统率兵马进发斜谷，三路兵马会师祁山。邓艾正在祁山寨中训练人马，听说蜀兵分三路杀来，就聚集诸将计议。参军王瓘自愿到蜀营诈降，里应外合击杀蜀兵，邓艾大喜，就给了王瓘五千兵马。

王瓘见到姜维后，跪在地上放声大哭，说自己是尚书王经的侄子，司马昭害死魏主，把他一家也杀了，现在投靠大将军，要为叔父报仇。姜维假装高兴地说："汝既诚心来降，吾岂不诚心相待？吾军中所患者，不过粮耳。今有粮车数千，现在川口，汝可运赴祁山。吾只今去取祁山寨也。"姜维让王瓘带着投降的三千魏兵去押运军粮，他留下两千降兵引路攻打祁山。

王瓘派人给邓艾送信，信里约定在八月二十日，从小路把蜀军粮草运送到魏营，让邓艾派兵在坛山谷中接应。但送信人却被蜀兵捉住。姜维把约定的日期改作八月十五日，派人装作王瓘的心腹给邓艾通风报信。邓艾到坛山谷中接应王瓘，没防备蜀兵从山后杀来，把魏兵的队伍杀得七断八续，邓艾撇了坐骑，夹杂在步军当中，爬山越岭逃了。姜维提兵连夜抄小路来追杀王瓘。王瓘被蜀兵四面攻击，走投无路，只好跳江自杀。

姜维差人修复了栈道，准备出师伐魏。司马望问邓艾："姜维诡计多端，莫非是假装攻打洮阳，实际是来偷袭祁山吗？"邓艾笑着说："姜维以为我们只会把守祁山，不会在意洮阳，所以他肯定会攻占洮阳。"邓艾、司马望分兵两路去救援洮阳，只留偏将把守祁山寨。

夏侯霸带领五百军士来取洮阳，却中了埋伏，他和手下的五百军士都被射死在城下。

为了稳定军心，姜维决定派张翼偷袭祁山九寨。眼看就要被攻破了，这时邓艾引兵杀来，断绝了张翼归路，正慌急之间，姜维率军赶来，两下夹攻，邓艾败了一阵，急忙退守祁山寨。后主刘禅荒淫无度，宠幸小人，右将军阎宇，身无寸功，只因为奉承黄皓，就做了大官。黄皓对刘禅说："姜维屡战无功，可以让阎宇代替他伐魏。"刘禅就一连下了三道诏书，命令姜维班师回国。姜维无奈，只得遵命退兵。

姜维回到成都得知事情真相，叩请刘禅杀掉黄皓，以根除后患，刘禅认为黄皓不过是一个小臣，成不了大气候，因此不听姜维的劝告。郤（xì）正听说姜维得罪了黄皓，就让他去陇西的沓中屯田，一来可以把守陇西诸郡，让魏国不敢入侵汉中；二来在外面掌握兵权，谁也不能加害，这样就可以达到保国安身两全了。姜维点头同意，于是表奏后主，到沓中去屯田了。

司马昭恼怒地说："姜维屡次侵犯中原，是我的心腹大患。"就任命钟会为镇西将军，让他调遣关中人马；又让邓艾做征西将军，统领关外陇右的魏兵，两处兵马约定日期，共同讨伐蜀国。

姜维听说魏兵大举入寇的消息，就给刘禅上表，刘禅接到姜维的奏表，问黄皓应该怎么办，黄皓说姜维想给自己邀功，才危言耸听。听说城中有一个师婆，她供奉的神灵能测知吉凶，可以把她召来问问。后主毫无主见，让黄皓去请师婆。师婆满嘴胡言乱语，说西川太平安乐，用不了几年，魏国的疆土就能归附蜀国了。刘禅信以为真，就把姜维的话抛到脑后，每天只知道在宫中饮宴作乐。姜维多次上奏告急的表文，都被黄皓隐匿下去，因此误了大事。

却说钟会很快攻破了阳安关，当天宿于阳安城中，三更天的时候，西南方向突然响起一片喊杀声。钟会慌忙出帐探视，但是外面静悄悄的，好像什么都没发生过。第二天晚上，又发生了一次。钟会就带人到西南方向巡哨。前面有一山，只见杀气四面突起，愁云布合，雾锁山头。钟会勒住马，问向导官："这是什么山？"答："这是定军山，当年夏侯渊死在这里。"钟会听了怅然不乐，勒马而回。转过山坡，忽然狂风大作，背后数千骑随风杀来。钟会大惊，纵马而跑，坠马的人不计其数。到了阳安关时，不曾折一人一骑，只跌损面目，失了头盔。都说："见阴云中人马杀来，却不伤人，只是一阵旋风而已。"钟会问降将蒋舒："定军山有神庙吗？"蒋舒说："并无神庙，唯有诸葛武侯之墓。"钟会认为是武侯显圣，就亲自去武侯墓前拜祭。第二天，钟会备祭礼，宰太牢，亲自到武侯墓前再拜致祭。祭毕，狂风顿息，愁云四散。忽然清风习习，细雨纷纷。一阵过后，天色晴朗。魏兵大喜，皆拜谢回营。当天晚上，钟会在帐中伏几而睡，忽然一阵清风过处，只见一人，纶巾羽扇，身披鹤氅，素履皂绦（白色的鞋子缠着黑色的丝绳。皂绦，zào tāo），面如冠玉，唇若抹朱，眉清目朗，身长八尺，飘飘然有神仙之姿。这人步入帐中，钟会起身相迎，说："公何人也？"这人说："今早重承见顾。吾有片言相告：虽汉祚已衰，天命难违，然两川生灵，横罹（lí，遭逢，遭遇）兵革，诚可怜悯。汝入境之后，万勿妄杀生灵。"说完拂袖而去。钟会忽然惊醒，原来是一梦。知道是武侯显灵，不胜惊异。于是钟会让手下的兵将竖立一面白旗，上面书写"保国安民"四个字，警告魏兵所到之处，要是胆敢胡乱杀人，就要偿命。

　　邓艾历尽千辛万苦暗度阴平，直逼成都。后主听信谯周之言，向邓艾投降。刘禅派人到剑阁向姜维传达归降的敕命，蜀军将士得知情况后，个个咬牙怒目，号哭遍城。姜维见人心思汉，就劝说众人暂时投降，然后用计策恢复汉室。姜维到钟会营帐归降，钟会折箭为誓，与姜维结为兄弟，仍然让他统领旧部。

　　邓艾擅自规定蜀中的事务，司马昭怀疑邓艾有自专之心，就封钟会为司徒，授意他逮捕邓艾。钟会收捕邓艾父子，兵马都归钟会控制了。姜维假装劝说钟会："昔韩信不听蒯通之说，而有未央宫之祸；大夫文种不从范蠡于五湖，卒伏剑而死；斯二子者，其功名岂不赫然哉，徒以利害未明，而见机之不早也。今公大勋已就，威震其主，何不泛舟绝迹，登峨眉之岭，而从赤松子游乎？"钟会笑着说："我还没到四十岁，刚想要进取，怎么能退隐闲居呢。"正在这时，传来了司马昭屯兵长安的消息，钟会大惊，姜维说："君疑臣则臣必死，邓艾就是前车之鉴！"于是钟会决定起兵谋反。

　　钟会正在做着当皇帝的美梦，没想到消息被部将泄露出去。卫瓘带着兵杀来，钟会被乱箭射死，姜维在乱军中往来冲突，不幸心疼病复发，姜维仰天大叫："我计不成，乃是天命！"说完拔剑自刎而死。魏兵对姜维恨之入骨，就用刀剖开他的肚腹，只见姜维的胆像鸡卵一样大。有诗叹姜维曰："天水夸英俊，凉州产异才。系从尚父出，术奉武侯来。大胆应无惧，雄心誓不回。成都身死日，汉将有余哀。

## 成长启示

正当姜维乘胜调军夜袭魏营之际，突接后主刘禅诏书，命其班师回朝。姜维及众将士眼见即将到手的胜利化为泡影，无不愤慨，凄然泪下。姜维在进军鼓和得胜令的伴奏下，缓缓撤兵。人似乎一下子衰老了许多。虽然说每一种挫折或不利，都带着同样有利或希望的种子。可是看看姜维的年龄，似乎不可能再奋发了。

## 要点思考

1. 姜维九伐中原为什么都没有成功？

2. 灭蜀大将钟会和邓艾为什么都死了？

## 写作积累

● 战栗不已　如针刺背　危言耸听

● 前面有一山，只见杀气四面突起，愁云布合，雾锁山头。

● 当天晚上，钟会在帐中伏几而睡，忽然一阵清风过处，只见一人，纶巾羽扇，身披鹤氅，素履皂绦，面如冠玉，唇若抹朱，眉清目朗，身长八尺，飘飘然有神仙之姿。

# 第三十二回　三分归晋

**导读**

司马昭死后，其子司马炎继承王位。继而贾充、裴秀等逼迫魏主曹奂禅让退位，魏国灭亡。司马炎登基，是为晋武帝，国号大晋。进兵吴国，吴主孙皓投降，吴国灭亡。自此结束了魏、蜀、吴三国之间七十二年混战的局面。

吴主孙休得知蜀国被灭，又听说司马炎篡魏自立，知道他必然伐吴，忧虑成疾，卧床不起，不久就去世了。左将军张布说："孙皓才识明断，堪为帝王。"丞相濮阳兴不能决断，入奏朱太后。太后说："我妇道人家，安知社稷之事？你们斟酌（zhēn zhuó，反复考虑以后决定取舍）就行。"众臣遂迎孙皓为君。

孙皓字元宗，孙权的子孙。追谥父孙和为文皇帝，尊母何氏为太后，加封丁奉为右大司马。第二年改为甘露元年。孙皓凶暴日甚，酷溺酒色。濮阳兴、张布进谏，孙皓大怒，斩了二人，灭了他们三族。于是众臣不敢再谏。

197 ·

　　孙皓令镇东将军陆抗部兵屯江口，以图进攻襄阳。晋主司马炎听说陆抗要进攻襄阳，与众官商议。贾充建议羊祜率兵对抗，司马炎大喜，降诏羊祜镇守襄阳。羊祜到襄阳后很得人心，吴国投降的士兵有想要回去的，就让他们离开。还减少江边巡逻的士兵，用来开垦田地八百多顷。他刚来的时候，军中没有一百天的存粮；到了年末，军中有了够全军用十年的粮食。羊祜在军中穿轻裘，系宽带，不披铠甲，帐前侍卫不过十余人。一天，部将入营帐禀羊祜说："哨马来报：吴兵都懈怠了。可乘其无备而袭之，必获大胜。"羊祜笑着说："你们小瞧陆抗吗？此人足智多谋，日前吴主命之攻拔西陵，斩了我们将士数十人，我救之不及。此人为将，我们只可自守；等候他国内有变，方可图取。若不审时势而轻进，此取败之道也。"众将心服，安心自守疆界。

　　一天，羊祜和诸将打猎，恰好陆抗也打猎。羊祜下令："我军不许过界。"众将得令，只在晋地打围，不犯吴境。陆抗望见，叹道："羊将军有纪律，不可犯也。"傍晚时各自回营。羊祜回到军中，查问所得的禽兽，被吴人先射伤的都送还给他们。吴人都很高兴，来报陆抗。陆抗召来人问："你们主帅能饮酒吗？"来人答："必得是佳酿才喝。"陆抗笑着说："我有斗酒，藏了很长时间。现在交给你拿去，拜上你家都督：此酒是陆某亲酿自饮，特奉一勺，以表昨日出猎之情。"来人携酒而去。左右问陆抗："将军送酒给他，有何主意？"陆抗说："他既施德于我，我岂得无以酬之？"众人愕然。

　　来人回见羊祜，把陆抗所问并奉酒事一一陈告。羊祜笑着说："他也知道我能饮酒！"遂命开壶取饮。部将陈元说："其中恐有奸诈，都督且宜慢饮。"羊祜笑着说："陆抗非毒人者，不必疑虑。"竟然全壶酒都喝了。自此双方经常来往。一天，陆抗遣人问候羊祜。羊祜问："陆将军身体好吗？"来人说："主帅卧病数日未出。"羊祜说："料他之病，与我相同。我已合成熟药在此，可送给他服了。"来人持药回见陆抗。众将说："羊祜乃是我们的敌人，此药必非良药。"陆抗说："岂有鸩人羊叔子哉（鸩，一种毒药；羊祜怎么会以毒害人呢）！你们不要怀疑。"遂服了药。第二天病愈，众将都来拜贺。陆抗说："彼专以德，我专以暴，是彼将不战而服我也。今宜各保疆界而已，无求细利。"众将领命。

吴主孙皓催促陆抗进兵，陆抗说现在不是伐晋的时机。孙皓大怒，罢了陆抗的兵权，降为司马，令左将军孙冀代领其军。

羊祜听说陆抗被罢了兵权，孙皓失德，见吴有可乘之机，作表遣人往洛阳请求伐吴。司马炎观表大喜，便令兴师。贾充等人阻止，司马炎因此不行。羊祜听说不同意他的请求，叹道："天下不如意事，十常八九。今天不取，岂不可惜哉！"到了咸宁四年，羊祜入朝，奏辞归乡养病。司马炎问："卿有何安邦之策，以教寡人？"羊祜说："孙皓暴虐已久，现在可不战而克。若皓不幸而死，更立贤君，则吴国就不是陛下所能得了。"司马炎大悟，说："卿现在便提兵前往伐吴，如何？"羊祜说："臣年老多病，不堪当此重任。陛下另选智勇之士可也。"遂辞别司马炎而归。

十一月，羊祜病危，司马炎车驾亲临问安。司马炎到卧榻前，羊祜流着泪说："臣万死不能报陛下也！"司马炎也哭着说："朕深恨不能用卿伐吴之策。今日谁可继卿之志?"羊祜含泪说:"右将军杜预可任;陛下要伐吴,须当用他。"说完就去世了。司马炎大哭着回宫,敕赠太傅、巨平侯。南州百姓听说羊祜死了,罢市而哭。江南守边的将士,也都大哭。襄阳人思念羊祜,在岘山上建庙立碑,四时祭之(侧面描写,突出羊祜的政绩深得人心)。往来的游人见到他的碑文,无不流涕,故名为堕泪碑。后人有诗叹曰:"晓日登临感晋臣,古碑零落岘山春。松间残露频频滴,疑是当年堕泪人。"

太康元年,晋主司马炎任命杜预为大都督,统兵二十多万伐吴。吴主孙皓得知,赶紧派兵迎敌。但是晋兵顺流而下,势不可挡,所到之处都望风而降;孙皓无奈,只好归降,自此三国归于晋帝司马炎,为一统之基矣。此所谓"天下大势,合久必分,分久必合"者也(呼应开篇,总束全文)。后来后汉皇帝刘禅亡于晋泰始七年,魏主曹奂亡于太安元年,吴主孙皓亡于太康四年,皆善终。后人有古风一篇,以叙其事说:

高祖提剑入咸阳,炎炎红日升扶桑;光武龙兴成大统,金乌飞上天中央;哀哉献帝绍海宇,红轮西坠咸池傍!何进无谋中贵乱,凉州董卓居朝堂;王允定计诛逆党,李傕郭汜兴刀枪;四方盗贼如蚁聚,六合奸雄皆鹰扬;孙坚孙策起江左,袁绍袁术兴河梁;刘焉父子据巴蜀,刘表军旅屯荆襄;张燕张鲁霸南郑,马腾韩遂守西凉;陶谦张绣公孙瓒,各逞雄才占一方。曹操专权居相府,牢笼英俊用文武;威挟天子令诸侯,总领貔貅镇中土。楼桑玄德本皇孙,义结关张愿扶主;东西奔走恨无家,将寡兵微作羁旅;南阳三顾情何深,卧龙一见分寰宇;先取荆州后取川,霸业图王在天府；呜呼三载逝升遐，白帝托孤堪痛楚！诸葛亮六出祁山前，愿以只手将天补；何期历数到此终，长星半夜落山坞！姜维独凭气力高，九伐中原空劬劳；钟会邓艾分兵进，汉室江山尽属曹。丕叡芳髦才及奂，司马又将天下交；受禅台前云雾起，石头城下无波涛；陈留归命与安乐，王侯公爵从根苗。纷纷世事无穷尽，天数茫茫不可逃。鼎足三分已成梦，后人凭吊空牢骚。

## 成长启示

　　荆襄一带因连年战事，百姓流离失所。羊祜采取减免赋税的政策，鼓励人们发展生产。东吴军民感其仁政，纷纷归附，连对手也对羊祜的胸怀钦佩不已。所以说，宽广的胸怀是一种智慧，一个人越是能宽容别人，越能得到更多人的尊重。这就是我们常说的那句：将军额上能跑马，宰相肚里能撑船。要知道，一个人有多大的胸怀，就会有多大的成就。

## 要点思考

　　1.羊祜为什么没能消灭吴国？

　　2.晋朝统一全国顺应历史潮流吗？

## 写作积累

　　●懈怠　望风而降　东西奔走

　　●羊祜听说不同意他的请求，叹道："天下不如意事，十常八九。今天不取，岂不可惜哉！"

# 延伸阅读

◆英雄就是胸怀大志，腹有良谋，有包藏宇宙之机，吞吐天地之志的人。

——第九回 《煮酒论英雄》

◆吾欲取信于天下，安肯有负前言。

——第十回 《千里走单骑》

◆大丈夫生于天地间，不识其主而事之，是无智也！

——第十二回 《曹操战官渡》

◆为将而不通天文，不识地利，不知奇门，不晓阴阳，不看阵图，不明兵势，是庸才也。

——第十五回 《草船借箭》

◆蝼蚁之力，欲撼泰山，何其愚耶。

——第十六回 《赤壁之战》

◆万事俱备，只欠东风。

——第十六回 《赤壁之战》

◆天下高见，多有相合。

——第十八回　《曹操割须弃袍》

◆既已许诺，不可失信。

——第十九回　《关羽单刀赴会》

◆玉可碎而不可改其白，竹可焚而不可毁其节，身虽殒，名可垂于竹帛也。

——第二十二回　《败走麦城》

◆言过其实，不可大用。

——第二十五回　《白帝城托孤》

◆勿以恶小而为之，勿以善小而不为。

——第二十六回　《安居平五路》

◆兵法之妙，贵在使人不测，岂可泄露于人？

——第二十六回　《安居平五路》

◆谅腐草之萤光，怎及天心之皓月？

——第二十八回　《空城退敌》

◆若不审时势而轻进，此取败之道也。

——第三十二回　《三分归晋》

◆天下不如意事，十常八九。

——第三十二回　《三分归晋》

‖相关名言链接‖

◇对人以诚信,人不欺我;对事以诚信,事无不成。

——冯玉祥

◇你必须以诚待人,别人才会以诚相报。

——李嘉诚

◇如果要别人诚信,首先要自己诚信。

——莎士比亚

◇一个人严守诺言,比守卫他的财产更重要。

——莫里哀

◇坚信别人诚实,是本人正直的一个有力证据。

——蒙田

◇做一个圣人,那是特殊情形;做一个正直的人,那却是为人的正轨,你们尽管在歧路徘徊,失足,犯错误,但是总应当做个正直的人。

——雨果

◇做人也要像蜡烛一样,在有限的一生中有一分光发一分热,给人以光明,给人以温暖。

——萧楚女

◇人的生命是有限的,可是为人民服务是无限的,我要把有限的生命,投入到无限的为人民服务之中去。

——雷锋

◇真正高宏之人，必能造福于人类。

——亚里士多德

◇尽力做好一件事，实乃人生之首务。

——富兰克林

◇青年是学习智慧的时期，中年是付诸实践的时期。

——卢梭

◇智慧最后的结论是：生活也好，自由也好，都要天天去赢取，这才有资格去享有它。

——歌德

◇智慧、勤劳和天才，高于显贵和富有。

——贝多芬

◇智慧的可靠标志就是能够在平凡中发现奇迹。

——爱默生

◇智慧，不是死的默念，而是生的深思。

——斯宾诺莎

**‖作者名片‖**

罗贯中（约 1330—1400），名本，字贯中，号湖海散人。他是元末明初著名小说家、戏曲家，是中国章回体小说的鼻祖。罗贯中的一生著作颇丰，主要作品有：剧本《赵太祖龙虎风云会》《忠正孝子连环谏》《三平章死哭蜚虎子》；小说《隋唐两朝志传》《残唐五代史演义》《三遂平妖传》《粉妆楼》等。代表作《三国演义》，标志着我国古代小说从"话本"阶段向长篇章回体过渡的完成，揭开了我国小说发展历史崭新的一页。其故里有多种说法：山东东平罗庄，山西太原、清徐、祁县，福建建阳等，目前尚无最终定论。其墓地也有山西清徐、福建建阳等处，另有祠堂、纪念馆等。

## ▌人物名片▐

### ◎赵云

字子龙，常山真定人，三国时期蜀汉名将。他身高八尺有余，长得魁梧英俊。起初追随公孙瓒，后归刘备。曹操取得荆州后，刘备在当阳长坂坡失败，他力战救护甘夫人和小主刘禅脱离险境。刘备得益州后，他被任命为翊军将军，和刘备一道攻打汉中。孙权偷袭荆州后，刘备大怒，想要带兵征讨东吴，赵云认为国贼是曹操、曹丕父子，应该先灭魏，魏国灭亡，东吴自然就归附了。但是刘备不肯听从劝告，最终导致了彝陵惨败。建兴六年，赵云跟从诸葛亮攻关中，分兵抗拒曹真主力，由于兵力不足，退回汉中，第二年死去。他曾以数十骑兵拒曹操大军，被刘备誉为"一身都是胆"。他追随刘备，功绩卓著，善始善终，历史学家对他的评价甚至高于关羽、张飞等人，认为他不仅是名将，还有勇有谋，多次对国家的发展、战争的进程提出了正确的建议。他死后被追封为顺平侯。

### ◎曹操

字孟德，小名阿瞒，沛国谯郡（今安徽亳州）人。东汉末

期著名的政治家、军事家、文学家。曹操是一个性格复杂的人物，人们对他褒贬不一，有人把他定位为奸雄，称他是三国中的"奸绝"，但是他的很多功绩是不能抹杀的。曹操消灭了北方割据势力，统一了北方，实行了一系列政策恢复生产，维护社会秩序，为曹魏立国奠定了基础。在文学方面，形成了以三曹（曹操、曹丕、曹植）及建安七子为代表的建安文学，史称"建安风骨"。曹丕篡位后，曹操被尊称为"大魏武皇帝"，庙号"魏太祖"。

### ◎诸葛亮

字孔明，号卧龙，三国时期杰出的政治家、军事家，蜀汉丞相。谥忠武侯。诸葛亮早年在南阳隆中务农，人称"卧龙"。他与当时的荆州名士司马徽、庞德公、黄承彦等有结交。刘备三顾草庐，诸葛亮为他做了"天下三分"的谋划，并答应与刘备共创大业。此后，诸葛亮渡江游说孙权，和刘备一同抵抗曹操。赤壁之战后，他帮助刘备平定荆南四郡，打败刘璋，入主益州，并在曹丕篡夺汉室江山后，辅佐刘备称帝。刘备病重，召诸葛亮与李严一起托付后事。诸葛亮继续辅佐其子刘禅，进行南征北伐。诸葛亮第六次北伐时，突患急病，暴卒于前线，时年54岁。诸葛亮足智多谋，民间多以其作为智慧的象征，称其为"智绝"。他写有著名的《出师表》。

### ◎关羽

字云长，并州河东解县（今山西运城市）人。关羽一直是历来民间崇祀的对象，他是东汉末年刘备麾下著名将领，前将军，汉寿亭侯，人称"美髯公"。是小说《三国演义》中的"义绝"，为五虎上将之首，以重82斤的青龙偃月刀作为武器。关羽与刘备、张飞桃园结义,死后受民间推崇,又经历代朝廷褒封,被人奉为关圣帝君。后来的统治者又尊崇他为"武圣",与号为"文圣"的孔子齐名。关于关羽,有"温酒斩华雄""过五关斩六将""千里走单骑""单刀赴会""刮骨疗伤"等佳话。

### ◎刘备

字玄德,三国时期蜀汉的开国皇帝。涿郡涿县(今河北省涿州)人,自称是汉朝中山靖王刘胜的后代。东汉末年,与关羽、张飞讨黄巾军有功,被任命为县尉。后领兵救徐州,陶谦将徐州城交与刘备,刘备遂自领为徐州牧。后投靠曹操,领豫州牧。三顾茅庐得到诸葛亮的辅佐,联合孙权,在赤壁大胜曹操之后夺取益州与汉中。221年,刘备于成都即位自称汉皇帝。伐东吴兵败后而亡,享年63岁,谥昭烈帝。

### ◎孙权

字仲谋,三国时吴国开国国君,吴郡富春县(今浙江富阳)人。父孙坚,曾任长沙太守,他的父兄身亡后,继位为讨逆将军,统治江东地区。孙权听从鲁肃的劝告,联合刘备,攻打曹操,由周瑜指挥了历史上有名的赤壁之战。后投降曹丕,被封为吴王。229年,孙权自称吴国皇帝。252年,孙权去世,终年71岁,在位24年,统治中国南方地区长达半个世纪。

### ◎曹丕

字子桓,是曹操次子,性格阴险多诈。他运用各种手段,在司马懿和吴质等人帮助下,战胜了弟弟曹植,被立为世子。曹操死后,曹丕当上魏王,逼迫汉献帝禅位,改国号为魏,自立为皇帝,是三国中第一个称帝的诸侯。在文学上他也很有成就,写的七言诗《燕歌行》,对后世歌行体诗发展有很大影

响。在中国文学史上也占有重要地位。

## ◎周瑜

字公瑾，东吴的重要将领，谋略出众，统帅力当为三国之最。英俊潇洒，年轻有为。早年和孙策一起南征北战，立下汗马功劳。孙策身亡后，与张昭一起辅佐孙权。33 岁时，火烧曹营，大战赤壁，奠定了三分天下的基础。赤壁之战后，向孙权建议出兵攻取蜀地，吞并刘璋，与曹操平分天下。遗憾的是正在进行军事准备时，不幸病逝于巴陵，时年 36 岁。历史上的周瑜气度宽宏，并不像小说中写的那样气量狭小，他独立指挥了赤壁大战，当时与诸葛亮也没有交集。

## ◎司马懿

字仲达，三国时期魏国杰出的军事家，谋略出众，诸葛亮多次北伐中原都在他手里含恨而归，可见他的统帅力也是不错的。曾任丞相长史、大都督等职位，曹操当权的时候，司马懿没有得到重用。曹操进封魏王后，让司马懿佐助曹丕。司马懿和曹丕关系很好，曹丕临终时，令司马懿为辅政大臣。司马懿多次率军对抗诸葛亮，使诸葛亮北伐中原的梦想破灭。魏明帝死后，大将军曹爽排挤司马懿，司马懿只好假装生病，不问政事。曹爽的行为引起很多人的不满，于是司马懿趁机联合权贵发动嘉平之变，处死了曹爽，从此司马氏掌握了曹魏大权。他的孙子司马炎称帝后，追尊他为晋宣帝。

## ◎郭嘉

字奉孝，颍川阳翟（今河南禹州）人，东汉末年曹操手下著名谋略天才。他"少有远量"，自 20 岁起便隐形匿迹，暗中交结英雄豪杰，谈论时势，不与世俗之士交往。这为他的谋士生涯奠定了基础。为了成就功业,他先在实力较强的袁绍军中出谋划策。后来他发现袁绍"多端寡要,好谋无决",遂受荀彧的推荐,归向曹操。曹操对郭嘉也格外器重。郭嘉"深通算略,达于事情",曹操认为只有郭嘉能了解他的意图。在北征途中,郭嘉染病,回师不久逝世,年仅38岁。曹操哀恸不已,对荀攸等人说:"我的谋士们年龄都大了,只有郭嘉最年轻。我想把我身后大事托付给他,没想到他英年早逝,这是命啊!"郭嘉身为谋士,为曹操统一中国北方立下了功勋,史书上称他"才策谋略,世之奇士",有"鬼才"之称。

## ◎姜维

字伯约,天水人。武力出众,谋略出众,是继诸葛亮之后的蜀国统帅。追随诸葛亮出祁山,北伐中原,累立战功。诸葛亮死后,姜维继诸葛亮之志,北伐中原,恢复汉室。前后多达九次,一时挫败魏国之威,可惜为魏国大将邓艾所破。后因宦臣黄皓弄权,致使九伐中原没有结果。后主刘禅投降后,姜维假装降于钟会,后策反钟会,不想事败,全家皆被魏国所杀。

## ▌主题 思想

《三国演义》是我国古代第一部长篇章回体小说,它从文学角度再现了汉末黄巾起义到西晋统一这八九十年间的历史。小说形象地揭示了公元3世纪时期,以曹操、刘备、孙权为首的魏、蜀、吴三国集团之间的矛盾与斗争,展示了那个时代尖锐复杂而又极富传奇色彩的政治与军事冲突,全书贯穿着拥蜀反魏、尊刘贬曹的主题,反映了人们对仁政的渴望与

反对暴政的思想。

## ‖艺术特色‖

从人物上看，无不个性突出。数百英雄人物，各类人物有其共性；同类人物，又尽显个性。如曹操之奸、关羽之义、诸葛亮之智，均在惊心动魄的斗争中展示得淋漓尽致。

从内容上看，战争描写出众。全书讲述大小战争四十余次，形象地再现了一幕幕惊心动魄的激烈场面。如官渡之战、赤壁之战、彝陵之战，便是精彩之笔。对这些战争的描写，丰富多彩，惊险激烈，格调昂扬，成功地描绘了汉末波澜壮阔的战争画卷。

从语言上看，读来明白如话。以现在的眼光来看，小说的语言似乎半文不白，但在当时它却接近白话。用这种语言风格创作小说，这与以往的作品相比是一个突出的进步。

## ‖读后感例文‖

### 《三国演义》读后感

滚滚长江东逝水，浪花淘尽英雄。是非成败转头空。青山依旧在，几度夕阳红。白发渔樵江渚上，惯看秋月春风。一壶浊酒喜相逢。古今多少事，都付笑谈中。

——题记

合上书静默，我恍惚间感悟到了桃园三结义的真挚、煮酒论英雄的豪迈、千里走单骑的英勇；似乎还看到三顾草庐的真诚、草船借箭的机智、火烧赤壁的潇洒;也领略到单刀赴会的勇敢、刮骨疗毒的坚忍、空城退敌的谨慎……三国啊,我为之赞叹的三国!

## 三国赞

《三国演义》中的人物有很多,其中,我最佩服的就是关云长和诸葛亮,为什么他们值得我佩服呢?关羽结识刘备、张飞,情如兄弟。关羽受曹操厚待却不忘本,许以立功报曹操后离去追寻刘备。白马之战中,关羽策马刺河北名将颜良于万众之中。随后攻樊城,降于禁、斩庞德,一时间威震华夏。关羽有勇有谋,视死如归,忠诚重义。诸葛亮呢?受刘备三顾之礼,提出著名的"隆中对",策动孙、刘联盟,于赤壁之战中大破曹操,奠定三国鼎立的基础。辅佐幼主,外联东吴,内修政理,南征平叛,北抗强魏。为完成统一中原,兴复汉室的大业,先后五次进攻魏国。作"八阵图",造损益连弩、木牛流马,与敌交锋,屡操胜算。我认为最遗憾的就是张飞了,一代豪杰毁于两个无名小卒之手,真是令人叹惜!虽然我觉得三国中最狡诈的还是曹操,他疑心重重、阴险狡诈,但是他是一位伟大的诗人,我们可以从《龟虽寿》中体会出他不服老的精神和他的雄心壮志;也可以从《观沧海》中感悟到人生的真谛。勇猛的赵云,潇洒的周郎,还有那让人扼腕而叹的郭奉孝!不同的相貌,不同的性格,不同的阵营,相同的是:都令人难忘!

## 三国叹

《三国演义》中的情节繁多,节节都十分精彩,引人入胜。我觉得最精彩的还是"关云长刮骨疗毒",关羽领兵去打樊城,曹仁见关羽没穿盔甲,便令弩弓手放箭。一箭射中了关羽的右臂。但箭头有毒,毒已入骨。神医华佗前来医治,他割开皮肉,用刀刮去骨头上的毒。医治时,关羽谈笑自如,真英雄也!可见他的意志是多么坚定,毅力是多么顽强!还有"孟德献刀"这一节,曹操佩宝刀来到相府,想刺杀董卓;在拔刀时却被董卓看见,董贼便问曹操,要干什么?曹操十分惶恐,便灵机一动,说,有一宝刀,献给恩相。董贼给了曹操一匹良马,曹操骑马逃出城外。每个章节,都在叙说着不同的故事,有忧伤,有惊喜,有豪情壮志,有黯然离别……嬉笑怒骂各不相同,但章章都演绎着人生!

## 箭锋上的友情

周瑜在军营帐篷里来回踱着步,一只飞蛾在案台上的火烛旁飞来飞去。帐篷里忽暗忽明,帐篷门口站岗的士兵叹了口气,他明白帐篷里的人一定正被什么事所烦恼着,但同时他也明白像他这样的小人物又怎能替得了一位东吴大将着想?此时,帘幡被掀开了,周瑜从里面走了出来,一身银甲在月光的照耀下闪闪发光。他的脸上没有表情,看上去像是在犹豫什么,又好像是下定了决心。周瑜就这样站了很久,旁边的士兵也只好就这样陪他站着。一时间,天地显得无限宽广,星星满布在黑色的夜空中,就好似一颗颗珍珠撒落在了黑色的绸缎上。周瑜开始回想起几天前的事来……

三天前,在军营里的军事会议上。"公瑾兄,我看曹贼此次来势凶猛,并筑起了城墙。目前敌多我少,敌强我弱。你看我们是否要……"诸葛亮摇着鹅毛扇缓缓地说,可是他还没说完就被周瑜打断了。"等等!诸葛亮兄,小弟我有一建议,不如我们二人将各自的计策写在手上,一起拿出来看看,不知意下如何呀!""好。"诸葛亮笑着答应。一会儿两人都已准备好,周瑜心想打曹贼定要火攻,不知这诸葛亮会不会……两人一起伸出了手掌。两只手上都写了一个"火"字。"哈哈……"两人顿时畅快地大笑起来。此时周瑜心中很是高兴,他对诸葛亮的智慧与谋略早有耳闻,但是能如此合他心意却出乎意料。火攻需要弓箭,而东吴的弓箭却远远不及所需。诸葛亮却放声道:"公瑾兄,弓箭的事你就别操心啦!"所以他们约定十日之后诸葛亮交十万支弓箭给周瑜。

第二天,诸葛亮出发。运用计谋与对天文知识的了解,他向曹操"借"了满满十条小船的箭。回到东吴时一个士兵的报告令他大吃一惊,草船上的箭并没有十万支,只有八万有余。诸葛亮摇着鹅羽扇陷入了深思。明日就要交箭了,周瑜视我如眼中钉,肉中刺,这可如何是好?

东吴的大将听说诸葛亮借箭不足,皆大喜,都到周瑜的帐中找他贺喜。可周瑜听后却为之一震,"怎么,他失败了?"周瑜有些不相信自己的耳朵,但现实却摆在了他的面前,诸葛亮失败了,明日就可将这个麻烦除去,但是诸葛亮的确是一个知己。倘若我俩共事一主该多好啊!唉……周瑜苦恼着……

月光依旧照着,周瑜望向远处的天空,似乎已有些鱼肚白。他深吸一口气回到帐内。

第二天的军机会上,孙刘双方气氛十分紧张,张飞瞪着

铜铃眼,赵云握着长枪,紧紧站在诸葛亮身旁,看来他们已经做好拼死保护诸葛亮的准备。"诸葛亮兄,时限已到,交箭吧!"周瑜说。"拿箭!"一声令下士兵们扛上了箭,诸葛亮觉得不对,细细一点十万支,不多也不少。"这……"诸葛亮纳闷了。周瑜走上前来递给他一支箭,说道"好! 不愧是卧龙先生啊!"诸葛亮盯着周瑜递过来的那支箭,愣住了……

# 知识考点

## 一、填空题

1.《三国演义》的作者是_____,名_____,号_____,元末明初小说家。《三国演义》是我国古代成就最高的长篇章回体历史小说。

2.我国古典文学名著《三国演义》的开篇词是_____,_____,_____。

3.“三国”即“天下三分”,指的是以刘备为首的_____、曹丕为首的_____和孙权为首的_____三国。奠定三国鼎立格局的战役是_____。

4.小说的思想倾向是拥刘反曹,表现出封建的正统观念,对_____农民起义有所诋毁,把_____、_____、_____、_____当作小说的中心人物来描写。

5.《三国演义》主要人物被称为“三绝”的分别是:“奸绝”_____、“智绝”_____、“义绝”_____。

6.《三国演义》中被许劭评论为“治世之能臣,乱世之奸雄”的是_____。

7.“桃园三结义”指的是使双股剑的_____、使丈八蛇矛的_____、使_____的关羽。

8.《三国演义》中有这样两段话:“譬犹驽马并麒麟,寒鸦配鸾凤耳”,“无异周得吕望,汉得张良”,被赞誉的人是_____。

9.《三国演义》中智者的化身当属军师_____,他未出茅庐,便知天下三分之事,书中记叙了有关他的许多脍炙人口的事迹,如_____、_____、_____、空城计、挥泪_____等。

10. 周瑜,有勇有谋,有儒将风度,但与诸葛亮较量却屡屡失败,故死时长叹"_____,_____。"

11.《三国演义》中诸葛亮与周瑜联手指挥的一场著名的以少胜多的战役是_____;诸葛亮挥泪斩马谡是因为_____一事。

12.《三国演义》中忠义的化身、被后人尊称为中国的"武圣"的是_____,我们所熟知的他忠、义、勇、谋、傲的事情分别有:千里_____、华容道义释_____、过五关_____、水淹_____、败走_____。

13."血染征袍透甲红,当阳谁敢与争锋"称赞的是_____,他字_____,主要的性格特点是_____,_____。

14.写出与下列情节有关的人物。

(1)温酒斩华雄:_____

(2)怒鞭督邮:_____

(3)千里走单骑:_____

(4)过五关斩六将:_____

(5)跃马过檀溪:_____

(6)草船借箭:_____

(7)巧授连环计:_____

(8)三气周瑜：_____

(9)割须弃袍：_____

(10)七擒孟获：_____

(11)木牛流马：_____

(12)智料华容道：_____

(13)单骑救主：_____

(14)义释严颜：_____

(15)拔箭啖睛：_____

(16)挂印封金：_____

(17)火烧连营七百里：_____

15.填人名,补足歇后语。

(1)(_____)借东风——巧用天时

(2)(_____)借荆州——有借无还

(3)(_____)进曹营——一言不发

(4)(_____)打(_____)——一个愿打,一个愿挨

三个臭皮匠——顶个(_____)

16.下面语句与何人有关？请填写。

(1)望梅止渴(_____)

(2)刮骨疗毒(_____)

(3)乐不思蜀(_____)

(4)赔了夫人又折兵(_____)

(5)鞠躬尽瘁(_____)

(6)大意失荆州(_____)

## 二、问答题

1.成语"万事俱备,只欠东风"是根据《三国演义》"赤壁

之战"中"周瑜定计火攻曹操"的故事演化而来的。请再写出源于《三国演义》的两个成语,并写出相应的人物及故事。

2.下面描写的人物分别是谁?用两三个词概括其主要性格特点。

(1)身长七尺五寸,两耳垂肩,目能自顾其耳。

人物:_____,性格特点:_____。

(2)面如重枣,唇若涂丹,丹凤眼,卧蚕眉,相貌堂堂,威风凛凛。

人物:_____,性格特点:_____。

(3)纶巾羽扇,身披鹤氅,素履皂绦,面如冠玉,唇若抹朱,眉清目朗,身长八尺,飘飘然有神仙之姿。

人物:_____,性格特点:_____。

(4)身长八尺,豹头环眼,燕颔虎须,声若巨雷,势如奔马。

人物:_____,性格特点:_____。

(5)身长七尺,细眼长髯,"治世之能臣,乱世之奸雄。"

人物:_____,性格特点:_____。

(6)头戴三叉束发紫金冠,体挂西川红锦百花袍,身披兽面吞头连环铠,腰系勒甲玲珑狮蛮带;引箭随身,手持画戟,坐下嘶风赤兔马。

人物:_____,性格特点:_____。

3.杜牧《赤壁》诗中:"东风不与周郎便,铜雀春深锁二乔"写的是哪一场战役?涉及的两个主要人物是谁?

4."勉从虎穴暂趋身,说破英雄惊杀人。巧借闻雷来掩饰,随机应变信如神。"是对哪个情节的概括?涉及两个主要人物是谁?这一情节中,他们各自有着怎样的心理?

5.“枭雄玄德擎双锋,抖擞天威施勇烈。三人围绕战多时,遮拦架隔无休歇。”说的是哪个情节?

6.“豫州当日叹孤穷,何幸南阳有卧龙! 欲识他年分鼎处,先生笑指画图中。”其中的“豫州”“卧龙”分别指谁? 本诗写的是哪个情节?

7.“独行千里报主之志坚,义释华容酬恩之谊重。”称赞的是何人? 所报答的“主”指谁? “义释”的是谁?

8.下面的对联概括了诸葛亮一生的功绩。参考示例,从列出的六项中任选两项,写出具体所指。“ 收二川,排八阵,七擒六出,五丈原前,点四十九盏明灯,一心只为酬三顾。取西蜀,定南蛮,东和北拒,中军帐里,变金木土革爻卦,水面偏能用火攻。”

示例:三顾:三顾茅庐

9.对刘备、诸葛亮、曹操三个人物历来褒贬不一,请你结合具体情节,说说你对他们的评价。

# 参考答案

## 一、填空题

1. 罗贯中　本　湖海散人

2. 天下大势　分久必合　合久必分

3. 蜀国　魏国　吴国　赤壁之战

4. 黄巾　刘备　关羽　张飞　诸葛亮

5. 曹操　诸葛亮　关羽

6. 曹操

7. 刘备　张飞　青龙偃月刀

8. 诸葛亮

9. 诸葛亮　火烧博望　舌战群儒　草船借箭　斩马谡

10. 既生瑜,何生亮

11. 赤壁之战　失街亭

12. 关羽　走单骑　曹操　斩六将　七军　麦城

13. 赵云　子龙　勇武忠诚　正直有谋略

14. (1)关羽　(2)张飞　(3)关羽　(4)关羽
　　(5)刘备　(6)诸葛亮　(7)庞统　(8)诸葛亮
　　(9)曹操　(10)诸葛亮　(11)诸葛亮　(12)诸葛亮
　　(13)赵云　(14)张飞　(15)夏侯惇　(16)关羽
　　(17)陆逊

15. (1)诸葛亮　(2)刘备　(3)徐庶　(4)周瑜、黄盖
　　(5)诸葛亮

16. (1)曹操　(2)关羽　(3)刘禅　(4)周瑜
　　(5)诸葛亮　(6)关羽

二、问答题

1. 成语:三顾茅庐　人物及故事:刘备三请诸葛亮。

成语:身在曹营心在汉　人物及故事:徐庶人在曹营不献一策等。

2. (1)刘备　仁义　善良　能礼贤下士

(2)关羽　忠义　为人光明磊落

(3)诸葛亮　足智多谋　忠心耿耿

(4)张飞　勇武鲁莽　耿直豪爽

(5)曹操　奸诈狡猾　残酷　多疑

(6)吕布　没有主见、目光短浅　见利忘义

3. 赤壁之战　曹操　周瑜

4. 煮酒论英雄　曹操　刘备

曹操:故意试探刘备,看他是否能成大业,胸怀大志。刘备:生怕自己被曹操看出破绽,竭力掩盖,内心恐慌。

5. 三英战吕布

6. 豫州:刘备;卧龙:诸葛亮。三顾茅庐

7. 关羽　刘备　曹操

8. 六出祁山、七擒孟获、东和孙吴、北拒曹魏、收二川:收取东川西川、排八阵:摆设八阵图

9. 刘备:刘备三顾茅庐,表现了求贤若渴,礼贤下士的迫切心情和胸怀大志,不拘小节的宽广胸怀。

诸葛亮:在"空城计"故事中,马谡违背诸葛亮将令,丢失街亭,致使司马懿15万大军逼近西城。当时诸葛亮仅有一班文官及老弱病残的军士2000余人,形势十分危急。然而诸葛亮镇定自若,从容布置,大家各执其事,司马懿来了一见此

景,蔫了。司马懿深知诸葛亮"平生谨慎,不曾弄险",料定必有埋伏,传令退兵,由此西城才得以转危为安。表现了他的足智多谋,神机妙算。

曹操:操谋刺董卓未遂逃至吕伯奢庄上,吕伯奢令家人热情款待,曹操却怀疑吕氏一家不怀好意,竟将吕家上下八口人杀死,后来发现是误杀,顺便将吕伯奢也杀了。于是就有了"宁教我负天下人,休教天下人负我"的故事。被称为是"乱世奸雄",阴险凶残。

# 新课标中小学名著必读篇目

| 新课标·励志版名著 | 教材对接 | 适用学期 |
|---|---|---|
| 《朝花夕拾·呐喊》 | 人教版七年级上册 | 上学期(9月开学) |
| 《骆驼祥子》 | 人教版七年级下册 | 下学期(3月开学) |
| 《钢铁是怎样炼成的》 | 人教版八年级下册 | 下学期(3月开学) |
| 《最后一头战象》 | 人教版六年级上册 | 上学期(9月开学) |
| 《简·爱》 | 人教版九年级下册 | 下学期(3月开学) |
| 《聊斋志异》 | 人教版九年级下册 | 下学期(3月开学) |
| 《绿山墙的安妮》 | 人教版六年级上册 | 上学期(9月开学) |
| 《城南旧事》 | 人教版七年级上册 | 上学期(9月开学) |
| 《假如给我三天光明》 | 人教版八年级下册 | 下学期(3月开学) |
| 《安徒生童话》 | 人教版六年级下册 | 下学期(3月开学) |
| 《昆虫记》 | 人教版三年级上册 | 上学期(9月开学) |
| 《西游记》 | 人教版七年级上册 | 上学期(9月开学) |
| 《水浒传》 | 人教版五年级下册 | 下学期(3月开学) |
| 《红楼梦》 | 人教版五年级下册 | 下学期(3月开学) |
| 《三国演义》 | 人教版五年级下册 | 下学期(3月开学) |
| 《汤姆·索亚历险记》 | 人教版六年级下册 | 下学期(3月开学) |
| 《名人传》 | 人教版八年级下册 | 下学期(3月开学) |
| 《童年》 | 河北大学版七年级上册 | 上学期(9月开学) |
| 《湘行散记》 | 人教版七年级上册 | 上学期(9月开学) |
| 《鲁滨孙漂流记》 | 人教版六年级下册 | 下学期(3月开学) |
| 《格林童话》 | 人教版四年级下册 | 下学期(3月开学) |
| 《爷爷的爷爷哪里来》 | 人教版五年级上册 | 上学期(9月开学) |
| 《寂静的春天》 | 人教版八年级上册 | 上学期(9月开学) |
| 《猎人笔记》 | 人教版七年级上册 | 上学期(9月开学) |
| 《镜花缘》 | 人教版七年级上册 | 上学期(9月开学) |
| 《朱自清散文精选》 | 人教版八年级上册 | 上学期(9月开学) |

| 新课标·励志版名著 | 教材对接 | 适用学期 |
|---|---|---|
| 《地球的故事》 | 人教版五年级上册 | 上学期(9 月开学) |
| 《中国古代寓言故事》 | 人教版三年级下册 | 下学期(3 月开学) |
| 《给青年的十二封信》 | 人教版八年级下册 | 下学期(3 月开学) |
| 《荒野的呼唤》 | 人教版六年级上册 | 上学期(9 月开学) |
| 《海蒂》 | 人教版六年级上册 | 上学期(9 月开学) |
| 《铁道游击队》 | 人教版六年级下册 | 下学期(3 月开学) |
| 《成语故事》 | 人教版四年级下册 | 下学期(3 月开学) |
| 《中国现代英雄人物故事》 | 人教版四年级下册 | 下学期(3 月开学) |
| 《呼兰河传》 | 苏教版九年级下册 | 下学期(3 月开学) |
| 《格列佛游记》 | 人教版九年级下册 | 下学期(3 月开学) |
| 《小王子》 | 苏教版七年级上册 | 上学期(9 月开学) |
| 《海底两万里》 | 人教版七年级下册 | 下学期(3 月开学) |
| 《中华上下五千年》 | 人教版三年级上册 | 上学期(9 月开学) |
| 《一千零一夜》 | 北师大版七年级上册 | 上学期(9 月开学) |
| 《伊索寓言》 | 人教版三年级上册 | 上学期(9 月开学) |
| 《爱的教育》 | 人教版五年级下册 | 下学期(3 月开学) |
| 《稻草人》 | 语文 S 版六年级下册 | 下学期(3 月开学) |
| 《中外历史故事》 | 人教版五年级上册 | 上学期(9 月开学) |
| 《老人与海》 | 苏教版九年级下册 | 下学期(3 月开学) |
| 《木偶奇遇记》 | 语文 S 版三年级下册 | 下学期(3 月开学) |
| 《中外名人故事》 | 人教版三年级上册 | 上学期(9 月开学) |
| 《威尼斯商人》 | 苏教版九年级下册 | 下学期(3 月开学) |
| 《艾青诗选》 | 人教版九年级上册 | 上学期(9 月开学) |
| 《莫泊桑短篇小说精选》 | 人教版五年级下册 | 下学期(3 月开学) |
| 《爱丽丝漫游仙境》 | 北师大版五年级上册 | 上学期(9 月开学) |
| 《白洋淀纪事》 | 人教版七年级上册 | 上学期(9 月开学) |
| 《儒林外史》 | 人教版九年级上册 | 上学期(9 月开学) |
| 《叶圣陶作品选》 | 苏教版九年级上册 | 上学期(9 月开学) |
| 《哈克贝利·费恩历险记》 | 语文版七年级上册 | 上学期(9 月开学) |
| 《战争与和平》 | 语文版七年级下册 | 下学期(3 月开学) |
| 《苏菲的世界》 | 人教版八年级下册 | 下学期(3 月开学) |

# 新课标必读名著·励志版